Artistes palestiniens contemporains

27 mars – 25 mai 1997
Exposition organisée par le département Expositions
Institut du monde arabe

Institut du monde arabe
1, rue des Fossés St-Bernard
75005 Paris

Cette exposition est organisée
dans le cadre du Printemps palestinien.

printemps
الربيـــع الفلــسطينيـ
palestinien

© Institut du monde arabe, 1997
ISBN 2 - 84306-000-1

Institut du monde arabe

Camille Cabana
Président

Mohamed Bennouna
Directeur Général

Commissariat

Brahim Alaoui
Responsable du département Expositions

Laila Al Wahidi
Chargée de collections et d'expositions

Coordination du Printemps Palestinien (IMA)
Ouardia Oussedik

Scénographie
Brahim Rhoul, Architecte DPLG

Communication
Philippe Cardinal
Responsable de la Communication

Meriam Kettani
Attachée de presse

Remerciements

Jacques Persekian
Directeur des Affaires publiques, Minstère de la Culture, Ramallah

Souleiman Mansour
Al-Wasiti Art Center, Jérusalem

Nous exprimons notre gratitude à la Fondation Abdul Hamid Shoman
pour le soutien apporté à la réalisation de cette publication.

Monsieur Abdul Majeed Shoman
Président de l'Arab Bank
et de la Fondation Abdul Hamid Shoman, Amman

Catalogue

Coordination et suivi
Eric Delpont
Laila Al Wahidi

Conception graphique
Hans-Jürg Hunziker
Ursula Held
Didier Mutel

Traductions
Dennis Collins
Mohamed Maouhoub

Crédits Photographiques
Issa Freij
Anita Grégoire
Philippe Maillard
Heini Schneebeli
Edward Woodman
et D. R.

Flashage et photogravure
Clair Graphic

Impression
Snoeck, Ducaju & Zoon

Sommaire

Préface

Cette exposition est un des rameaux du Printemps palestinien, organisé conjointement par l'Association française d'action artistique et l'Institut du monde arabe, qui a pour ambition de dresser, en divers lieux de France, un panorama de la culture palestinienne.

Les artistes ici présentés, demeurant sur leur terre natale ou poussés à l'exil, témoignent dans leurs créations aux formes multiples des vicissitudes intimes et sociales imposées par l'Histoire. Aujourd'hui, les événements font éclore l'espoir de l'identité recouvrée et reconnue. Ceci ne restera certes pas sans écho sur la création plastique contemporaine de Palestine déjà marquée par sa confrontation, dans la diaspora, avec les diverses tendances de l'art international.

Les peintures, sculptures, installations et témoignages de performances réunis pour cette exposition illustrent la richesse des relations tissées par chacun des neuf artistes entre sa sensibilité et sa culture, sa mémoire et ses aspirations.

En ouverture du catalogue, l'étude historique de Kamal Boullata consacrée à l'art palestinien depuis le milieu du siècle dernier replace dans leur perspective les points de repère nécessaires à la compréhension du contexte, encore mal connu en Occident, dans lequel ces œuvres ont été générées.

Brahim Alaoui
Chef du département Expositions

Recouvrer la distance
Une étude sur l'art palestinien : 1847-1997

Kamal Boullata

« *Notre réalité la plus vraie s'exprime dans la manière dont nous passons d'un lieu à un autre. Nous sommes des migrants et peut-être des hybrides, dans – mais non de – toute situation où nous nous trouvons. Telle est la continuité la plus profonde de nos vies en tant que nation en exil et constamment en mouvement.* »
  Edward W. Said
  After the Last Sky

« *La peinture ramène chez soi.* »
  John Berger
  Keeping a Rendezvous

I. Une géographie des sensibilités esthétiques

Pendant cinq siècles, les mythes, les sites imaginaires et l'histoire religieuse de la Palestine ont été une importante source d'inspiration pour la tradition picturale d'Europe. Pour les natifs de Palestine, toutefois, les outils expressifs et les techniques de cette tradition ne sont entrés que relativement récemment dans leur vocabulaire visuel. Au cours d'un siècle environ, avant 1948, une forme nationale de peinture s'est développée progressivement sur le sol palestinien avec Jérusalem pour centre. À la suite de la création de l'État juif, suivie en 1967 de la chute de la partie restante de la Palestine sous occupation militaire israélienne, la société palestinienne s'est trouvée déracinée et dispersée sur une vaste étendue géographique. Depuis les cinq dernières décennies, l'art palestinien fut donc obligé de reprendre son développement tardif sous des cieux différents. Aujourd'hui, il n'est possible de tracer aucune histoire de l'art palestinien avec les moyens traditionnels utilisés pour interpréter l'expression visuelle, en correspondance avec les spécificités naturelles du lieu de vie de l'artiste. Retracer l'histoire de l'art palestinien, c'est se plonger dans le chaos d'une trajectoire non conventionnelle, dont les formes brisées et discontinues reflètent l'essence même de l'expérience palestinienne – déplacement et perpétuelle instabilité. C'est uniquement en adhérant à une telle esthétique qu'on peut évaluer sa proximité ou son éloignement par rapport au pays auquel elle appartient.

La première partie de l'étude qui suit tente de décrire la forme d'art national élaborée par les artistes palestiniens en l'espace d'un siècle avant la chute de la Palestine. Créé par des peintres d'icônes et des artistes qui étaient installés dans leur environnement propre, cet art se caractérisait par un sens de la continuité et un développement évolutionnaire. S'il était identifié par ses caractéristiques locales distinctives, sa production représentait une forme d'expression culturelle cultivée dans toute la région.

Nous évoquerons brièvement les contributions des grands pionniers pour illustrer la manière dont, tout d'abord, une tradition hellénique vénérée s'est trouvée naturalisée par les peintres d'icônes chrétiens arabes, au cours de cette période historique qui annonçait la naissance d'une conscience nationale. L'arabisation de l'image peinte, développée ensuite par les artistes à la fois chrétiens et musulmans, se fit à une époque où les deux communautés natives étaient unies dans leur lutte pour obtenir l'indépendance séculière de la Palestine par rapport à un État juif exclusif dans le pays. Tout le reste de la présente étude est consacré à l'art produit depuis la chute de la Palestine. Étant donné la dispersion du peuple palestinien et sa fragmentation dans différentes régions au fil de cinq décennies, les œuvres brièvement décrites ici sont le fait d'artistes identifiés par leur lieu d'origine et l'emplacement géographique de l'œuvre créée. Ainsi, certains des artistes émergèrent de la population réfugiée qui essaima dans les pays arabes voisins ; d'autres furent élevés parmi les habitants, paysans pour la plupart, devenus une minorité dans leur pays de naissance après l'établissement de l'État d'Israël ; d'autres encore appartiennent à une génération plus jeune, qui apparut en Cisjordanie et dans la bande de Gaza, après que ces zones furent tombées sous occupation militaire israélienne ; et le dernier groupe d'artistes est celui dont les œuvres furent conçues en exil, au-delà des frontières du Proche-Orient.

Séparés par les frontières politiques et la distance géographique, les hommes et les femmes dont l'art est l'objet de cette étude ont travaillé tout à fait isolés les uns des autres. Presque complètement coupés de la production créatrice des anciens pionniers, la majorité des artistes d'aujourd'hui, qu'ils soient ou non autodidactes, ne connaissent pas non plus la production contemporaine de leurs collègues vivant dans d'autres régions. À la différence de la génération précédente d'artistes, pour qui la carrière de peintre ne débutait qu'après quelque forme d'apprentissage auprès d'un peintre d'icônes ou d'un artisan traditionnel, un certain nombre d'artistes de la génération suivant la dispersion palestinienne ont voulu faire des études artistiques après avoir travaillé comme dockers, jardiniers ou forgerons. Entre-temps, d'autres ont pratiqué leur art en même temps qu'ils écrivaient, enseignaient ou purgeaient une peine de prison. Si certains des artistes évoqués n'ont jamais posé le pied dans une galerie d'art ou un musée, d'autres, même s'ils sont versés dans l'histoire de l'art moderne et connaissent toutes les tendances récentes du monde de l'art actuel, n'ont peut-être jamais eu l'occasion de voir les œuvres originales d'un compatriote palestinien. À l'évidence, toute étude comparative d'œuvres créées par des artistes palestiniens au cours des cinq dernières décennies fait apparaître un large éventail de disparités stylistiques et de sensibilités esthétiques. Néanmoins, dans le contexte de cette étude, les œuvres d'artistes individuels, unies par leurs expériences communes, sont considérées comme le tissu conjonctif qui contribue à révéler l'aspect multiforme de la réalité palestinienne à travers son expression créatrice. Ainsi, les artistes, ayant poursuivi des études et les autodidactes, jeunes et vieux, chrétiens, musulmans et druzes, travaillant dans leur patrie ou en exil, sont tous représentés ici côte à côte.

Quant à la manière dont les artistes palestiniens ont pu réagir à leur environnement adoptif ou l'ignorer après la chute de la Palestine, ou la manière dont cet environnement pourrait avoir affecté le langage de leur art, c'est une question qui dépasse le cadre de cette rétrospective. S'il est entendu qu'aucun langage créatif ne peut se déverser dans un vide culturel, l'art de chaque artiste considéré ici restera toujours comme un témoignage, pour toute exploration de ce genre à l'avenir. Entre-temps, étant donné que cette étude cherche à rendre compte pour la première fois des qualités fondamentales d'un corpus d'œuvres éclectiques, nous tenterons de montrer comment les différentes formes d'expression artistique reflètent l'expérience palestinienne dans toute sa diversité.

Nées de l'instabilité et du bouleversement, les œuvres d'art palestiniennes sont souvent caractérisées par une transgression des frontières entre disciplines visuelles ainsi qu'entre différents genres. Un art traditionnel utilitaire peut ainsi servir à transmettre des images médias, de même qu'une représentation figurative est souvent connotée au moyen d'allusions narratives. Une œuvre peut être issue du souvenir d'un lieu, ou elle peut en être une recréation allégorique. Dans beaucoup de cas, l'enfance est l'éternelle source d'images. Avec la grande diversité de styles expressifs, le langage des artistes vivant près de leur terre est dans la plupart des cas resté figuratif, la forme humaine devenant souvent le réceptacle de codes culturels et de références métaphoriques. Par contraste, le langage de la plupart des artistes vivant en exil est généralement plus abstrait. Dans leurs abstractions, les discontinuités et la fragmentation ont constamment pris une forme géométrique, dont la composition est tiraillée par des allusions spatiales à la distance.

Au XXᵉ siècle, le langage de la peinture qui s'est développé en Europe, conséquence de son propre besoin de réduire la distance avec les événements dramatiques qui ont eu lieu en Palestine il y a deux mille ans, est devenu accessible à tous, au-delà des frontières géographiques de l'Europe et des confins d'une tradition religieuse unique. Cet article tente d'explorer l'art palestinien des cinquante dernières années, après l'événement calamiteux qui s'est abattu sur les natifs de cette terre non encore pacifiée. En employant ces outils d'expression, les exilés palestiniens les plus lointains ont chacun légué un corpus d'œuvres profondément enraciné dans un langage qui a vu le jour à Jérusalem.

II. Naissance d'un langage pictural

La tradition de la peinture d'icônes byzantine, dont la technique et les préceptes furent formulés à la fin du Vᵉ siècle, est la principale tradition picturale vivante transmise à travers les âges dans tout le monde méditerranéen. Le XVIIᵉ siècle, qui marqua le déclin de cette tradition hellénique millénaire, annonça le début d'une renaissance dans les écoles régionales arabes de peinture religieuse, dont le langage iconographique fut emprunté aux modèles byzantins. Les plus anciennes icônes attestées révélant des caractères régionaux particuliers furent signées en arabe par

un certain Yusuf d'Alep. La forme d'identification instaurée par ce pionnier du milieu du XVIIᵉ siècle, dont la signature comportait son prénom, suivi de l'identification de sa profession de « fabricant d'image » et de sa ville natale, fut suivie par de nombreux peintres d'icônes régionaux des deux siècles suivants. Grâce aux descendants directs de Yusuf al-Musawwir al-Halabi, Ni'meh, Hananiyya et Jirjes, les traits créatifs régionaux qu'il introduisit dans l'icône byzantine furent perpétués au XVIIIᵉ siècle. Toutes les innovations individuelles adoptées par les membres de la famille Halabi, et copiées par leurs imitateurs, furent ensuite reconnues comme étant originaires de l'école d'icônes d'Alep.

En Palestine, où l'on se targuait, avec Jérusalem, de l'un des grands centres monastiques de l'Empire ottoman, la peinture d'icônes byzantine subit un processus de naturalisation semblable, entre les mains de peintres d'icônes arabes qui appartenaient à l'église orthodoxe. Le style distinctif et les caractéristiques régionales qu'ils élaborèrent au cours des XVIIIᵉ et XIXᵉ siècles les rattachent à l'école de Jérusalem. La naturalisation du modèle byzantin ramena la forme d'expression religieuse hellénique hautement vénérée dans la sphère populaire. Avec une intuition d'une fraîcheur enfantine, les peintres d'icônes de Jérusalem imitèrent leurs modèles et transcrivirent les passages de l'Évangile dans une écriture arabe notée sur leurs icônes sans aucune prétention artistique, de la même manière que leurs images étaient modestes. Peints en touches délicieuses et en couleurs festives, leurs sujets étaient souvent encadrés non pas d'ornementations à la feuille d'or, comme leurs modèles, mais d'une simple bande jaune ou de notations arabes, et, parfois, de rangées de boutons de rose qui rappelaient les miniatures populaires. Les traits de leurs saintes figures, qui rayonnaient d'une rusticité paysanne, étaient toujours joviaux et juvéniles, même si certains étaient dignifiés par une barbe blanche cotonneuse. Illuminés par un sourire bienheureux, les visages magnifiés étaient tous délicatement arrondis avec des yeux en amande, une chevelure séparée par une raie et une bouche de bébé. Des manches de leurs amples robes, de petites mains fines jaillissaient pour tenir un lys ou un rouleau, ou simplement pour bénir le spectateur.

Les récits bibliques étaient devenus plus crédibles avec l'introduction occasionnelle, au sein de la légende de l'icône, d'éléments vivants empruntés à la vie quotidienne. Le combat triomphant de saint Georges contre le dragon était l'une des légendes préférées de l'école de Jérusalem. Connu en arabe sous le nom d'*al-Khadr*, saint Georges avait remporté sa victoire, croyait-on, dans un village aux portes de Jérusalem. Portant le nom arabe du saint chevalier, le village était un lieu de pèlerinage qu'affectionnaient les Arabes tant chrétiens que musulmans. Toujours associé dans les contes populaires palestiniens à la couleur verte, al-Khadr était vénéré comme un martyr et un héros populaire. Les peintres d'icônes de Jérusalem omirent souvent la simple selle rouge que les peintres crétois lui avaient attribuée, lui préférant un coussin écarlate ou vert orné d'étoiles et de croissants dorés dignes d'un turban ottoman.

Dans la seconde moitié du XIXe siècle, les icônes de l'école de Jérusalem, qui ornaient tous les grands lieux de pèlerinage en Terre sainte, étaient aussi très demandées dans tout le Levant. Les pèlerins venus de différentes parties de l'Empire ottoman et de contrées plus lointaines du monde orthodoxe cherchaient à se procurer de petites icônes portables. Les couvents et les monastères de villes aussi éloignées que Damas et Tripoli commandèrent aux peintres de l'école de Jérusalem des travaux de peinture et de restauration. Les peintres étaient fiers de signer leurs icônes en arabe, en faisant suivre généralement leur prénom d'*al-Qoudsi*, qui signifie « le jérusalémite », ou dans certains cas d'*al-Ourashalimi*, qui est le mot biblique pour désigner le jérusalémite. Cette tradition, ébauchée dans la seconde moitié du XVIIIe siècle par Hanna al-Qoudsi, fut ensuite suivie par Issa al-Qoudsi. Au XIXe siècle, Mikha'il Mhanna al-Qoudsi, Yuhanna Saliba al-Qoudsi, Nicola Tiodoros al-Qoudsi et Is-haq Nicola al-Ourashalimi comptaient au nombre des peintres d'icônes qui perpétuaient le style pictural de l'école de Jérusalem. Leur production marqua le début d'une forme personnalisée d'icônes en Palestine.

Les innovations frappantes introduites par les peintres de l'école de Jérusalem dans l'art religieux byzantin doivent leur importance notamment au fécond environnement culturel qui leur a donné naissance. Du fait de sa place unique dans l'histoire biblique, la Palestine était l'un des rares lieux de l'Empire ottoman dont les habitants étaient largement exposés au monde extérieur à ses frontières. Pendant les premières phases du déclin de Constantinople, un nombre croissant de missions chrétiennes rivalisèrent l'une avec l'autre pour établir leur hégémonie culturelle en Terre sainte. Avant la fin du siècle, des missions américaines, anglaises, françaises, allemandes, italiennes et russes avaient déjà créé des établissements d'enseignement, des maisons d'édition et des hospices dans les principales villes du pays. Les habitants de Jérusalem, Bethléem, Haïfa et Nazareth, qui recevaient leur enseignement dans la langue des différentes missions, entrèrent également en contact avec différentes formes d'expression visuelle. Les peintures d'artistes catholiques, protestants et orthodoxes russes, étaient vues pour la première fois, alors que les outils avec lesquels ces œuvres impressionnantes étaient réalisées devenaient plus facilement accessibles. Les artistes topographes en visite ou les peintres religieux résidents, couramment reçus par ces missions, comptaient parmi le nombre croissant de ces pèlerins d'une espèce nouvelle qui commençaient à affluer dans le pays. Avec le navire à vapeur et le chemin de fer récemment construit par une société française, reliant le port de Jaffa à Jérusalem, les voyages étaient devenus plus faciles.

Au début du XXe siècle, c'est à Jérusalem que se développait l'embryon d'une forme nationale d'expression visuelle. Sans avoir conscience de leur rôle clef, les peintres d'icônes de la ville furent les premiers à en favoriser le lent développement. Si l'icône de l'école de Jérusalem survivait, c'était désormais pour être peu à peu sécularisée par ses propres peintres, dont les préoccupations créatrices s'orientaient vers un nouvel horizon. Khalil al-Hakim († 1963), l'un des derniers adeptes de l'école d'icônes associée à sa ville natale, renonça à sa vocation de peintre d'icônes pour se consacrer à la prêtrise. Son collègue,

Nicola Sayigh († 1930), originaire de Jérusalem, qui resta célibataire, décida de continuer de pratiquer les beaux-arts, qui étaient pour lui à la fois une vocation et un métier. Peintre d'icônes inégalé de sa génération, réputé pour ses œuvres de dimensions impressionnantes et pour ses compétences en matière de restauration, Sayigh s'efforça de maîtriser aussi les outils de la peinture de chevalet, qui venaient d'être importés.

Certaines des premières toiles de Sayigh, des portraits de paysans palestiniens en robe biblique et des paysages de la campagne autour de Jérusalem, semblent avoir été peintes avec l'aide de cartes postales photographiques, disponibles depuis peu par l'intermédiaire de la Colonie américaine à Jérusalem. Les tableaux ultérieurs de Sayigh, dont l'exécution vivace montre qu'ils ont été peints d'après nature, comportent des natures mortes contenant souvent une corbeille de figues de barbarie. Sayigh peint à plusieurs reprises un fruit unique dont la peau dure a été tranchée et partiellement pelée de manière à révéler ses chairs succulentes et séduisantes, émergeant de l'obscurité veloutée du fond et rendu de manière réaliste. Le sujet de prédilection de Sayigh, gourmandise estivale qui avait toujours été savourée par ses compatriotes, devait prendre une signification hautement symbolique dans les œuvres d'artistes palestiniens des générations futures.

Fondé au tournant du siècle, l'atelier de Sayigh, à l'extérieur de la cour de la basilique de la Résurrection, était commodément situé sur le parcours qu'empruntait tout visiteur de passage à Jérusalem et de tout éventuel acheteur d'icône, tout en étant le centre d'un cercle de natifs de Jérusalem animés d'aspirations culturelles. Au premier plan se trouvaient les frères Jawhariyyeh, Wasef, Khalil, Tawfiq et Fakhri. Sous les auspices de Sayigh, Wasef put nourrir sa curiosité intellectuelle pour les arts visuels en commençant une collection personnelle d'objets d'art locaux. Entre-temps, chacun des frères Jawhariyyeh cultivait sa propre sensibilité artistique en travaillant, en même temps que Hanna Kharouf, Khalil Halaby et les frères Sahhar, Is-haq et Wadi', comme apprentis de Sayigh dans différents domaines de la peinture d'icônes.

La formation technique que les **frères Jawhariyyeh** reçurent de Sayigh aviva leur talent inné pour la peinture. Mais leur intérêt pour la peinture d'icônes était sans commune mesure avec leur désir d'apprendre de lui les secrets de la peinture à l'huile, avec laquelle Sayigh créait des images plus tangibles de la vie quotidienne qu'ils connaissaient. Adoptant la méthode de Sayigh, qui consistait à utiliser des photographies comme aide-mémoire, les frères Jawhariyyeh se mirent à peindre des portraits typiques de leurs compatriotes et différents paysages de leur ville natale. Au tournant du siècle, les photographies étaient plus accessibles en Palestine, grâce à Khalil Ra'd, autre Arabe chrétien qui, en 1895, fonda le premier studio de photographie à Jérusalem. De même que la compagnie et l'enseignement inspiré de Sayigh nourrirent les aspirations visuelles des frères Jawhariyyeh, les photographies de Ra'd jouèrent également un rôle important en facilitant le processus de transition que fut le développement du langage personnel de chacun des deux frères. Avec le temps, Wasef Jawhariyyeh allait devenir le premier collectionneur natif à ajouter des peintures contemporaines de Sayigh à sa collection, alors que le fils aîné de Fakhri, Hani Jawhariyyeh (1939-1976) devint un photographe pionnier et le premier réalisateur palestinien à tourner un long métrage documentaire.

Parmi les assistants de Sayigh, **Khalil Halaby** (1889-1964) apparaît comme le seul qui chercha à perpétuer l'excellence de Sayigh dans le domaine de l'icône. Comme son mentor, Halaby choisit de rester célibataire, jouissant d'une réputation bien méritée de restaurateur d'icônes et d'un des meilleurs peintres d'icônes de la ville. Depuis un certain nombre d'années, le marché de l'icône avait toutefois sombré, car les pèlerins orthodoxes des pays communistes ne venaient plus. Ainsi, lorsque Halaby n'était pas trop occupé par quelque projet d'église locale, il choisit d'expérimenter, seul, avec les outils de la peinture de chevalet. À un moment où les icônes de Halaby continuaient de proclamer leur allégeance à l'école de Jérusalem, ses peintures à l'huile commencèrent à refléter un style personnel qui alliait élégamment son métier traditionnel de peintre d'icônes à des thèmes contemporains. À la différence des frères Jawhariyyeh, qui commencèrent de leur côté à dessiner et à peindre d'après nature, Halaby s'appuya uniquement sur des images photographiques pour sa nouvelle peinture. Les cartes postales photographiques de Jérusalem devinrent son aide préférée. Appliquant le système de mise au carreau qu'il avait appris de la reproduction d'icônes, il recopiait ses propres paysages à partir de dessins plus anciens avec la même fidélité que les peintres d'icônes recopiant un sujet de leur répertoire prescrit. Il arrive souvent qu'un site de Jérusalem peint par Halaby soit reconnaissable dans tous ses détails ; sa profondeur illusoire continuait néanmoins de maintenir une perspective déformée rappelant les distorsions architecturales qu'on trouve dans les icônes byzantines. Halaby, dont le nom de famille indique peut-être qu'il était originaire d'Alep, la ville qui fut le théâtre de la renaissance de l'icône, fut donc destiné à créer ce qu'on peut considérer comme les premiers paysages iconiques de la Jérusalem arabe. Plusieurs décennies après la mort de Sayigh, Halaby fut le seul peintre d'icônes à transmettre l'héritage de Sayigh à quelques jeunes artistes nés comme lui à Jérusalem.

L'atelier de Sayigh contribua non seulement à développer le talent de ceux qui travaillaient pour le peintre d'icônes de Jérusalem, mais joua également un rôle en éveillant les talents de jeunes qui n'avaient reçu de lui aucune formation directe. **Daoud Zalatimo** (*1906) en est un bon exemple. Né dans une famille musulmane de Jérusalem, Zalatimo fut attiré par l'atelier de Sayigh. Ami intime de Tawfiq Jawhariyyeh, il put y passer beaucoup de ses loisirs. Zalatimo, qui faisait des dessins d'imagination depuis sa plus tendre enfance, fut impressionné par l'ensemble de tableaux exposés à l'atelier, et particulièrement captivé par les œuvres des frères Jawhariyyeh. Les remarques encourageantes qu'il reçut parfois de son aîné Khalil, pour ses dessins, attisèrent sa résolution de cultiver davantage son talent. L'idée de gagner sa vie en peignant, comme faisaient Sayigh, Halaby et les frères Jawhariyyeh, ne lui vint cependant pas à l'esprit. S'il apprit en observant directement le processus de la peinture, de la conception à l'exécution finale, l'aspirant artiste ne savait pas que la fin de la Grande Guerre et les événements historiques qui allaient bientôt survenir dans le pays devaient le rapprocher de la réalisation de son rêve de sécurité économique et de formation artistique plus poussée.

Pendant les années où Zalatimo fréquentait l'atelier de Sayigh, la Palestine échappa en effet au contrôle ottoman pour tomber sous souveraineté britannique. L'entrée dans Jérusalem du général Allenby en 1917 annonça la naissance d'espoirs nouveaux pour un peuple qui aspirait à l'indépendance nationale et qui pendant quatre siècles avait été soumis à une administration ottomane sur le déclin. En l'espace d'un mois après la déclaration de Lord Balfour, pourtant, la perspective d'un mandat britannique en Palestine suscita beaucoup d'inquiétudes et de méfiance parmi le peuple et les dirigeants du pays. Ces craintes n'étaient pas sans fondement. Une fois installées, les autorités coloniales britanniques récusèrent les objections palestiniennes et s'employèrent à tenir la promesse de Balfour – créer un foyer juif en Palestine. Toutes les restrictions qui avaient été imposées par les Ottomans à l'immigration juive furent alors levées. En moins de deux ans, Sir Herbert Samuel, un Juif, fut nommé haut commissaire du pays par la couronne britannique. La même année vit la création du Histadrut, syndicat de travailleurs exclusivement juif, et la formation des milices armées de la Haganah. Le début des années 1920 fut marqué par la première d'une série de vagues d'immigration juive massive. Les premières escarmouches occasionnelles entre colons juifs et natifs palestiniens dégénérèrent bientôt en affrontements plus sanglants. Le gouvernement de l'époque était plus préoccupé par le renforcement immédiat de son pouvoir. L'essentiel du budget britannique en Palestine était destiné à la mise en œuvre de la politique coloniale, mais seuls 4,5 % étaient alloués à l'éducation. Comme les grandes villes de Palestine avaient leurs propres institutions établies, la plupart des écoles élémentaires subventionnées par le mandat étaient situées dans les villes plus petites, et leurs professeurs étaient tous recrutés dans les villes palestiniennes. À dix-neuf ans, Daoud Zalatimo obtint un emploi de professeur d'art à Khan Younis, et quelques années plus tard il fut nommé dans une école de Lydda. Avec cet emploi, le jeune homme s'assurait des revenus sûrs qui justifiaient aux yeux de toute personne concernée l'importance de sa pratique artistique, vocation que certains aînés de sa communauté continuaient de dénoncer comme un simple blasphème. Les cours d'art d'été proposés par les instructeurs britanniques du département éducatif du mandat aidèrent Zalatimo à développer les dons et les idées qu'il avait acquis au cours de ses années de formation à l'atelier de Sayigh.

Après les cours, Zalatimo consacrait son temps à ses propres dessins et peintures. Avec l'arrivée récente des Britanniques en Palestine, les aquarelles, les pastels et les couleurs à l'huile en tube, d'un emploi commode, étaient plus facilement accessibles. Zalatimo combina ces outils tout prêts et ses compétences réalistes nouvellement acquises pour créer des images vivantes et novatrices. Le choix du sujet devait cependant être soigneusement pesé s'il voulait non seulement apaiser l'éventuelle colère des musulmans plus conventionnels parmi son public potentiel, mais surtout s'assurer de leur approbation. L'œuvre de Zalatimo, exposée avant tout au sein des murs de l'école où il enseignait, déployait des thèmes qui devaient certainement conquérir le cœur de tous les Arabes de son temps, quelles que fussent leurs convictions religieuses. À travers sa stratégie artistique, Zalatimo créa un vaste ensemble de portraits imaginaires et de scènes historiques. Ses portraits représentaient essentiellement des héros arabes et islamiques légendaires tels Saladin, Khalid Ibn al-Walid et Tareq Ibn Ziyad. Implicitement, ces portraits fictifs et hautement stylisés devinrent plus crédibles d'autant qu'ils étaient vus à côté d'un visage connu et vénéré. Zalatimo l'avait de toute évidence copiée à partir d'une photographie contemporaine de nul autre que le roi Faisal Ier, chef de la révolte arabe contre les Ottomans, et héros populaire parmi les Palestiniens qui aspiraient à l'indépendance de leur pays. De même, les scènes imaginaires de Zalatimo représentant des moments dramatiques dans l'histoire de l'islam comportaient des allusions allégoriques semblables. De composition naïve, ses peintures historiques commémoraient, par exemple, l'entrée du calife 'Omar dans Jérusalem en 637, qui se fit sans effusion de sang, la

libération de la Terre sainte par Saladin en 1187 ou la douleur de Boabdil à la chute de Grenade en 1492. Les élèves de Zalatimo furent vivement impressionnés par ces images iconiques et allégoriques. En l'espace de quelques décennies, l'un des étudiants en beaux-arts de cette période devint l'émule de son maître et le chef de file de sa génération en popularisant une forme visuelle de rhétorique fondée sur les associations narratives allégoriques.

En dehors des confins de l'école de Lydda, Zalatimo n'eut jamais l'occasion d'exposer en public. À cette époque, les expositions artistiques étaient inimaginables. Et la seule possibilité pour le grand public palestinien de voir des objets d'art ou d'artisanat, en dehors des ateliers de la vieille ville et des boutiques de souvenirs, était les activités saisonnières parrainées par les missions chrétiennes. Depuis le tournant du siècle, toutes les institutions éducatives rattachées aux différentes missions dans le pays avaient organisé des expositions annuelles des produits de leurs élèves natifs. Quelques peintures sur toile étaient habituellement présentées à côté de toutes les formes d'artisanat – sculptures sur bois d'olivier, cartes de vœux faites à la main, travaux d'aiguille, broderies, poteries et textiles. Tenues à l'intérieur des murs de chaque institution, ces présentations publiques attiraient un public limité, généralement composé d'élèves, de membres de la famille et d'amis liés à l'institution. L'unique exposition exceptionnelle qui rompit avec les conventions locales fut celle d'une jeune femme de vingt-trois ans qui s'appelait **Zalfa al-Sa'di** (1910-1988).

Née dans une ancienne famille de Jérusalem, al-Sa'di portait un nom qui, depuis des siècles, avait été donné à tout un quartier dans le secteur musulman de la vieille ville. Avec de telles résonances implicites, qui s'ajoutaient à son éminent talent, l'œuvre d'al-Sa'di fut officiellement choisie pour faire partie du pavillon palestinien lors de la première Exposition nationale arabe tenue à Jérusalem en juillet et août 1933. Présentée au côté de ses propres broderies traditionnelles au point de croix, son exposition de peinture impressionna non seulement toutes les grandes figures du pays, mais fut reçue avec enthousiasme par un public venu de différents pays arabes participant à la manifestation. Cette toute première exposition personnelle d'un peintre palestinien, en quelque lieu que ce soit, marquait l'acceptation par le public d'une forme d'art qui jusque-là, bien que tolérée, n'était pas reconnue comme représentative de la culture nationale.

Dans son interprétation visuelle de la culture nationale, al-Sa'di adopta la démarche artistique de Zalatimo. Travaillant uniquement avec des huiles sur toile, elle présenta lors de son exposition tant acclamée des peintures historiques légendaires, exécutées d'après son imagination, et des portraits de héros populaires de son temps copiés d'après des photographies. Un portrait éclatant de Saladin en tenue de combat était placé dans un cadre ovale – c'était la grande mode pour les photographies de l'époque. Et cette figure imaginaire fut exposée à côté d'une série de portraits copiés d'après des photographies officielles de figures politiques et culturelles de l'époque. On y voyait non seulement les dirigeants de la révolte arabe, Sharif Husayn et son fils Faisal Ier, mais aussi le réformateur islamique Jamal al-Din al-Afghani, le militant anticolonialiste libyen 'Omar al-Moukhtar et le poète nationaliste arabe Ahmad Shawqi. Quant à ses paysages, al-Sa'di y démontrait sa capacité à copier une image photographique d'un monument architectural de Jérusalem d'une manière vivante et fidèle qu'aurait pu lui envier Halaby. Alors que la plupart des scènes de Jérusalem peintes par Halaby, peut-être destinées aux touristes, étaient généralement copiées à partir d'une photographie du tournant du siècle de quelque monument chrétien, l'unique scène de Jérusalem d'al-Sa'di exposée lors de cette manifestation nationale était copiée d'une photographie récente de la mosquée al-Aqsa. Il est intéressant de noter que l'exposition d'al-Sa'di comportait deux natures mortes. La première était composée de radis, tomates, poivrons verts, d'une aubergine et d'une gousse d'ail; la seconde, que le public sembla tout particulièrement admirer (ainsi que le nota un spectateur dans le livre d'or), était une composition de figues de barbarie, sujet préféré du pionnier Nicola Sayigh.

Dans un autre secteur du pavillon palestinien, un ensemble remarquable d'œuvres récentes de **Jamal Badran** (*1909), âgé de vingt-quatre ans, accentuait le contraste avec l'exposition de peintures d'al-Sa'di. Le spectateur y voyait des panneaux colorés d'ornementations islamiques contemporaines, des bas-reliefs en bois ornés d'une exquise calligraphie arabe, et un vaste ensemble d'objets en cuir repoussé, doré de motifs géométriques entrelacés. Si l'œuvre et le style d'al-Sa'di pouvaient être considérés comme une ingénieuse arabisation d'outils importés qui étaient l'expression d'un sentiment national collectif, les œuvres de Badran étaient vues comme un emploi virtuose des outils d'expression les plus traditionnels en réaction aux défis orageux que la culture palestinienne affronta dans la première décennie du mandat britannique. Comparées les unes aux autres, les questions stylistiques posées par les œuvres d'al-Sa'di et de Badran, à savoir la naturalisation d'outils importés opposée au retour aux arts et métiers traditionnels, allaient devenir, à l'avenir, une préoccupation majeure d'une autre génération d'artistes palestiniens inspirés par les codes visuels des arts traditionnels. À l'époque, les productions de Badran et sa carrière de professeur préfiguraient les défis de l'avenir.

À la différence d'al-Sa'di, dont on n'avait jamais entendu parler avant qu'elle ne participe à la Première Exposition arabe, le nom de Badran commençait déjà à être connu en 1927 lorsque le Haut Conseil islamique de Jérusalem fit appel à lui pour restaurer les mosaïques de la mosquée al-Aqsa. Né à Haïfa, Badran manifesta dès son plus jeune âge une affinité avec l'art islamique. Il en découvrit la beauté la première fois qu'il vit le *mahmal*, l'arche ornementale dans laquelle était transporté le voile recouvrant la Ka'ba. À cette époque, le voile, qui était orné de brocarts à Damas, faisait l'objet d'une procession spéciale qui faisait halte à Haïfa avant de poursuivre son voyage jusqu'à La Mecque. À Haïfa, le mahmal était au centre d'une célébration annuelle qui se terminait à bord du navire en partance pour Djedda. Année après année, le jeune Badran attendit pour voir briller au soleil de Haïfa les versets divins en brocarts d'or sur la soie noire. Entre-temps, il passa de longues heures à regarder un peintre persan, Fakhri Kukgzadeh, saisir la beauté de la nature environnante avec son pinceau délicat et ses couleurs translucides. Membre de la communauté baha'i, dont le temple est situé sur le mont Carmel de Haïfa, Kukgzadeh insuffla au jeune garçon le goût de l'expression visuelle. Dès que les autorités coloniales britanniques eurent achevé la construction du chemin de fer, reliant sa ville natale au Caire, Badran embarqua sur l'un des premiers trains à destination de la capitale arabe des arts visuels. Au Caire, le jeune garçon de treize ans, dont le père venait de mourir, vécut d'abord chez son oncle paternel, sheikh 'Abd al-Rahman, un scribe islamique. Il fut admis à l'École d'art et d'artisanat du Caire, et pendant les cinq années qui suivirent il apprit tous les différents métiers traditionnels qu'on y enseignait. Au musée des Arts islamiques, établi au Caire depuis 1880, Badran passa de longues journées à observer et à copier à main levée des ornementations de carreaux de céramique et de coupes, et à dessiner des motifs d'arabesques à partir de sculptures sur bois. Au terme de ses études, de retour chez lui, Badran était le premier de sa génération à avoir reçu une rigoureuse formation technique en dessin d'après nature en même temps qu'il avait appris à maîtriser un certain nombre d'arts islamiques traditionnels.

Cette maîtrise, Badran l'avait acquise à une époque où l'arrivée de produits industriels avait commencé à porter préjudice à de nombreux artisans locaux. La bourgeoisie palestinienne déplorait la disparition progressive des produits traditionnels faits à la main, laquelle incita un érudit comme Wasef Jawhariyyeh, et quelques autres, à commencer leur propre collection d'objets artisanaux, de souvenirs et d'objets d'art. Entre-temps, les ateliers artisanaux traditionnels de la vieille ville se transformaient progressivement en magasins d'antiquités. Certains des ateliers de la ville se mirent à ouvrir leurs propres salles d'exposition près de la porte de Jaffa, là où le général Allenby, dix ans plus tôt, avait annoncé son entrée dans Jérusalem. Au vu de ces changements on comprend l'enthousiasme avec lequel fut accueilli l'œuvre de Badran lors de la Première Exposition arabe et la forte demande pour ses pièces. Ainsi, si l'exposition de 1933

marquait la première reconnaissance publique d'un peintre palestinien, elle fut aussi un tournant dans la carrière artistique de Badran, et un jalon décisif dans l'histoire de l'art palestinien.

Dès la fin de la Première Exposition arabe, les frères cadet de Badran, Khairi (*1912) et 'Abd al-Razzaq (*1915), furent envoyés au Caire. Pendant les trois années qui suivirent, Khairi se spécialisa en calligraphie et en tissage tandis que 'Abd al-Razzaq apprit les techniques du vitrail et de la sculpture sur bois. L'année d'après, le frère aîné, Badran partit pour Londres, bénéficiant d'une bourse britannique de trois ans pour poursuivre ses études en dessin et peinture d'après nature, et se spécialiser en reliure en cuir et en papier marbré. Au cours de sa dernière année, Khairi le rejoignit pour parfaire sa propre spécialité en étudiant les arts textiles. À la fin des années trente, alors que les trois frères étaient de retour au pays, les fondations étaient toutes posées pour créer un atelier familial composé de maîtres artisans dont les compétences conjuguées, le goût personnel et l'authenticité allaient fixer des normes nouvelles pour les autres productions du marché, et peut-être rivaliser avec certaines des meilleures productions mécaniques. Dans le même temps, Badran était convaincu que la créativité collective de leur entreprise ouvrirait la voie à une véritable renaissance de l'art national fondée sur des méthodes qui intégraient les outils importés de la représentation d'après nature et les outils traditionnels de l'abstraction islamique.

Pour concrétiser son rêve, Badran ne choisit pas d'ouvrir son atelier à Haïfa, d'où la famille était originaire, mais à Jérusalem, le centre cosmopolite du pays. La vieille ville, où tous les artisans et les peintres d'icône avaient encore leurs boutiques de souvenirs et leurs ateliers, n'était pas le bon endroit pour abriter sa vision. Après tout, Badran ne s'adressait pas au marché des touristes, et cherchait plutôt à atteindre une clientèle de la haute bourgeoisie palestinienne, sensibilisée à son art nouveau. Il choisit donc de s'installer dans le prestigieux quartier de la porte de Jaffa, non loin, à pied, de l'atelier photographique de Khalil Ra'd et de la boutique de Boulos Meo, maintenant transformée en magasin d'antiquités. Mais alors que ces deux hauts lieux fondés au tournant du siècle restaient à l'intérieur des murs de la ville, Badran décida d'ouvrir son atelier dans la rue Mamillah, l'artère conduisant aux nouveaux quartiers de la ville en dehors des murs. L'atelier de Badran était du reste situé dans la rue même qui avait accueilli la Première Exposition arabe, à quelques pas seulement du siège de la Banque arabe, première banque nationale du monde arabe fondée par un Palestinien. L'ouverture de l'atelier de Badran dans le quartier en pleine expansion de la ville se fit après deux décennies au cours desquelles les talents natifs dans le domaine des arts visuels avaient germé à l'intérieur comme à l'extérieur des confins conventionnels des ateliers de la vieille ville. Des artistes se firent connaître à Nazareth, Jaffa, Bethléem et Acre, grâce avant tout à l'enseignement artistique de base dispensé par les différentes missions et aux possibilités qu'elles offraient; leur programme éducatif portait enfin ses fruits. À Jérusalem, d'un autre côté, une nouvelle lignée d'artistes bourgeonnait parmi les élèves de Jamal Badran. À l'école Rashidiyyeh et au Collège arabe, pendant près de vingt ans, Badran enseigna l'aquarelle et le dessin d'après nature en même temps qu'il donnait des cours sur l'ornementation islamique. Il allait souvent avec ses élèves au Dôme du rocher, leur laissant le choix entre un motif d'arabesque ou une représentation tridimensionnelle du lieu. Pour la première fois, des élèves palestiniens apprenaient à voir le langage importé de la représentation illusionniste, mis au point dans l'Europe chrétienne, comme un pont les reliant à l'art abstrait perpétué par la tradition islamique.

Au-delà de cette révélation, les possibilités de cultiver un talent palestinien dans un domaine d'expression visuel quel qu'il fût restaient rares. Curieusement, tout près de ces élèves artistes insatiables, l'éventail le plus vaste d'expressions stylistiques dans l'art européen était formulé par des artistes juifs récemment arrivés d'Europe. Néanmoins, le monde lointain dont ils venaient demeurait inaccessible pour les artistes natifs de Palestine. Bien que les deux premières décennies du siècle aient vu ce qu'on a appelé une renaissance de l'art juif immigrant, les Palestiniens arabes natifs dont le mode de vie avait

souvent été la source même d'inspiration de cette renaissance artistique furent eux-mêmes incapables de se voir dans l'œuvre des artistes immigrants. Les élèves de Badran et ceux qui recevaient leur formation dans les missions locales, qui eurent l'occasion de voir le nombre croissant de peintres juifs travailler en plein air avec leurs outils portables, restèrent extérieurs au monde fermé de ces artistes. Malgré les nombreuses expositions organisées par la communauté juive, les artistes palestiniens n'avaient pas accès à ces manifestations. Pour prendre un exemple typique, la tour Hippicus, l'ancienne citadelle romaine incorporée par Soliman le Magnifique aux murs de la ville à la porte de Jaffa, fut transformée par l'Association des artistes hébreux en un lieu d'exposition sous l'égide du gouverneur colonial de district, Sir Arnold Storrs. Aucun des artistes palestiniens arabes ne vit les expositions personnelles et collectives organisées tout au long des années vingt dans les galeries de la tour, rebaptisée tour de David. Il semble inconcevable qu'un tel mouvement artistique, vivace, bien financé, à Jérusalem, suivi d'un autre à Tel-Aviv, n'ait laissé aucune trace ou un écho sur l'activité artistique naissante des Palestiniens de cette période. On ne peut comprendre cette situation étrange que si l'on se rappelle les fondations idéologiques exclusives du sionisme sur lesquelles s'appuyait l'institution artistique juive à ses débuts, notamment l'École Bezalel d'art et d'artisanat.

Bezalel fut créé dès 1906 à Jérusalem. Ses bâtiments, construits à l'origine par un natif de Palestine nommé Abu Shakir pour abriter un orphelinat, furent achetés par le Fonds national juif. Le fondateur de Bezalel, Boris Schatz (1866-1932), non seulement interdit l'entrée de l'institution à tous les Arabes, mais annonça qu'il renverrait tout enseignant qui pourrait enseigner la peinture ou toute autre discipline de Bezalel à un non-Juif. Même si Schatz proclamait la création de ce qu'il considérait comme un nouvel art hébreu, fondé sur une synthèse éclectique du classicisme européen du XIXe siècle et des ornementations pseudo-islamiques, la ségrégation entre Juifs d'Orient et d'Europe était inscrite dans la déclaration fondatrice de Bezalel. Ainsi, dans les premières années de l'école, Schatz s'assura d'avoir des salles de cours, des ateliers et des logements dans un quartier pour les Juifs nés en Orient, et dans un autre pour leurs pairs européens. Quant à ses contacts avec les Arabes, ils étaient limités à ceux qui pouvaient lui rendre des services indispensables. Schatz, qui furetait régulièrement dans les magasins d'antiquités, était également réputé être un client d'une indiscrétion gênante à chaque fois qu'il était en relations avec un maître artisan arabe. Les sculpteurs de bois d'olivier à Jérusalem, les artisans qui travaillaient la nacre à Bethléem, les souffleurs de verre à Hébron connaissaient ce Juif d'Europe de l'Est qu'on voyait souvent vêtu d'une imitation de robe de bédouin. Mais aucun ne se souvint de lui pour s'être vu commander un projet particulier. Cet homme zélé, barbu et trapu dont le projet pour une école des beaux-arts fut personnellement soutenu par Theodor Herzl et adopté au cinquième congrès sioniste réuni à Bâle en 1901, n'acceptait d'engager un maître artisan qu'à titre provisoire, jusqu'à ce que son art fût maîtrisé par un Juif. S'agissant des arts qui ne faisaient pas partie de la tradition palestinienne, Schatz envoyait ses professeurs à Damas pour les filigranes en argent, à Istanbul pour les tapis et au Caire pour les émaux, afin qu'ils apprennent ces arts régionaux. Bezalel permettait ainsi aux Juifs de Russie de rivaliser avec les artisans locaux dans la sculpture du bois d'olivier, tandis que ceux d'Autriche apprenaient l'art de tailler les pierres et que les arabesques des artisans yéménites étaient intégrées aux motifs baroques allemands ornant les objets cérémoniels juifs. Les produits de l'institution qui créa l'emblème de Tel-Aviv, et le candélabre qui allait devenir l'emblème de l'État juif, trouvèrent leurs principaux marchés par l'intermédiaire des représentants de l'institution à l'étranger.

Une institution artistique aussi exclusive et aussi proche, à laquelle succéda un mouvement encore plus isolé à Tel-Aviv, réveilla chez les artistes palestiniens une conscience de leurs propres possibilités face aux limites qu'ils connaissaient chez eux. Si la majorité des jeunes artistes comme Robert Malki de Jérusalem, Lydia 'Ata (*1912) de Bethléem et George Fakhuri († 1983) d'Acre en furent remis à eux-mêmes pour développer leur propre art, quelques-uns eurent la chance de cultiver leur talent artistique à l'étranger. Hanna Mismar (1898-1988), diplômé de l'École luthérienne de Nazareth fut à vingt-deux ans le premier de sa génération à être envoyé en Allemagne pour trois ans afin d'étudier la poterie et la céramique. Faddul 'Awdeh (*1906), lui aussi originaire de Nazareth, élève à l'école russe, n'avait que seize ans lorsqu'un moine franciscain s'arrangea pour l'envoyer à Florence pendant quatre ans pour étudier la peinture. Quelques années plus tard, une cousine plus jeune du peintre d'icônes, Sophie Halaby (*1912), fut la seule de sa génération à partir pour Paris, où elle se spécialisa dans l'aquarelle. Entre le milieu et la fin des années trente, un certain nombre de jeunes de talent suivirent les frères Badran au Caire. Certains étudiants, tel Najati al-Husseini, originaire de Jérusalem, partirent sous prétexte de s'inscrire à l'université d'al-Azhar pour des études religieuses ; au lieu de quoi il étudia les arts islamiques. D'autres, comme Yusif al-Najjar et Muhammad Siyam (1917-1986), quittèrent leur ville natale de Jérusalem avec l'intention spécifique de se spécialiser en calligraphie. Au Caire, tous découvrirent pour la première fois les expositions de peintres égyptiens et européens. Avec l'Académie d'art fondée en 1908, le Caire offrait aux étudiants palestiniens en arts islamiques traditionnels la possibilité de s'essayer à la peinture de chevalet. Muhammad Wafa Dajani (1914-1982) et Daoud Ja'ouni (*1916) étaient deux des élèves de Badran venus de Jérusalem au Caire pour étudier les arts traditionnels et s'initier à la peinture. Certains, comme Sharif al-Khadra (1917-1983), de Safad, commencèrent leurs études dans une école d'arts traditionnels avant d'étudier la peinture de chevalet, tandis que Subhi al-Qutub de Jérusalem, Fatima al-Muhib (*1920) de Jéricho, Muhammad al-Sha'ir (*1928) de Jaffa et 'Abd al-Razzaq al-Yahya (*1929) de Tantura, allèrent au Caire expressément pour étudier la peinture. Quant à Khalil Badawiyyeh († 1936) et Faisal al-Taher († 1938), tous deux originaires de Jaffa, ils décidèrent d'interrompre leurs études au Caire pour rejoindre les partisans palestiniens qui s'étaient révoltés contre la politique coloniale britannique. Badawiyyeh et Taher furent tous deux tués lors d'opérations séparées au moment de la montée de la violence dans les années 1930. Au début des années 1940, alors que l'Europe sombrait dans la guerre, Nahil Bishara (*1923) de Jérusalem n'avait que dix-neuf ans lorsqu'elle voulut faire des études artistiques. Sa seule possibilité était d'essayer l'école locale de Bezalel, dont la direction avait changé. Grâce à l'intervention personnelle du commissaire britannique à l'éducation, Bishara fut le premier élève non-juif à être admis à Bezalel. Elle dut néanmoins suspendre ses cours dès la deuxième année, car les relations entre la minorité juive de Palestine et les autorités britanniques s'étaient détériorées et avaient débouché sur des affrontements sanglants.

Alors que la Seconde Guerre mondiale faisait toujours rage en Europe, les Palestiniens qui étaient rentrés au pays, après leurs études artistiques à l'étranger, cherchaient, avec d'autres membres de l'intelligentsia locale, à réagir aux questions posées par les événements contemporains. Malgré les tensions politiques fluctuantes, et les violences sporadiques entre les groupes juifs armés et les autorités britanniques, les Arabes palestiniens continuaient de penser que l'avenir serait plus radieux. La communauté culturelle de Jérusalem commença donc à voir se former des comités artistiques locaux parmi les individus qui partageaient les mêmes opinions. Pour la première fois, les expositions devinrent un événement courant dans le cadre plus séculier des associations sociales et des clubs de jeunesse qui fleurissaient en dehors des murs de la vieille ville de Jérusalem. Entre-temps, des artistes européens comme Magnetti et Petriarchetti, liés à la mission italienne, encouragèrent activement les talents palestiniens et continuèrent de confiner leur vie professionnelle et leur carrière d'enseignant à leur mission. Par contraste, des artistes comme le Russe George Alief (1887-1970), qui s'était établi dans le pays depuis la révolution bolchevique, et qui connaissait bien les tendances de l'art palestinien, choisirent de participer à toutes les activités artistiques inspirées par la génération montante des jeunes artistes revenus au pays. Au cours de la même période, le peintre arménien Megerditch Karakashian continuait de peindre ses paradis

ottomans de motifs floraux parsemés de paons et de gazelles. Quant à son partenaire, le potier Neshan Balian, l'atelier qu'il avait établi en 1922 à l'extérieur de la porte de Damas s'épanouissait en employant les talents locaux. Pendant ces années fécondes, les aspirants collectionneurs ne purent rivaliser avec Wasef Jawhariyyeh, dont la nouvelle demeure à Jérusalem-Ouest était déjà encombrée de sa collection en plein essor. Entre-temps, l'atelier de Badran devenait peu à peu le carrefour d'une nouvelle lignée de Palestiniens. Les peintres d'icônes, les aspirants peintres et les collectionneurs qui s'étaient rencontrés à l'atelier de Sayigh dans les trois premières décennies du siècle pouvaient désormais retrouver dans l'atelier de Badran des graveurs, des calligraphes, des commanditaires, des connaisseurs jeunes et plus âgés. Jabra Ibrahim Jabra (1920-1994), l'un des élèves de Badran qui venait de rentrer de Cambridge, commença à peindre assidûment pendant cette période fébrile.

En l'espace de deux ans, tous ces signes de continuité, de créativité et d'enthousiasme juvénile s'arrêtèrent nets. Jabra abandonna complètement sa passion d'enfance. Les événements funestes qui se déroulèrent à la venue du printemps de 1948 se révélèrent les plus cruels d'une série d'attaques impitoyables visant les Arabes palestiniens dans tout le pays. Au moment même où la nouvelle génération d'artistes palestiniens s'assemblait pour assister à la naissance d'un mouvement artistique indigène, les masses de Juifs européens fuyant la barbarie nazie se mirent à affluer dans le pays, car tous les ports des pays alliés leur étaient fermés. Les autorités britanniques tentèrent d'apaiser les affrontements sanglants quotidiens avec les groupes armés juifs, mais furent incapables de contrôler les vagues successives d'immigrants clandestins et les cargaisons d'armes et de munitions qui entraient clandestinement dans le pays. Les Britanniques finirent par s'en remettre aux Nations unies, qui proposèrent un plan de partage de la Palestine en un État juif et un État arabe. Au cours des six dernières semaines du mandat britannique, la campagne de terreur juive contre la population palestinienne s'intensifia dans toutes les campagnes, atteignant le cœur des grandes villes.

Au cours de la première semaine de 1948, une vingtaine de civils palestiniens, dont des femmes et des enfants, périrent lorsque les forces de la Haganah firent sauter l'hôtel Semiramis dans le quartier résidentiel de Jérusalem-Ouest. Deux jours plus tard, beaucoup d'autres furent tués ou blessés par l'explosion d'une bombe de l'Irgoun à la porte de Jaffa. Dans la première semaine d'avril, avec le lancement de l'opération militaire baptisée du nom de code Dalet, les trois groupes armés juifs – la Haganah, l'Irgoun et le Stern – commencèrent à orchestrer leurs opérations militaires pour terroriser de manière systématique la population civile et l'inciter à fuir le pays. La résistance, composée essentiellement de villageois qui livraient une bataille désespérée, n'était pas à la hauteur des forces militaires juives, plus organisées et mieux équipées. Plus de deux cents villages finirent par tomber l'un après l'autre, avant même la fin du mandat britannique. De nombreux villageois furent tués, les survivants furent emmenés de force, et certains villageois expulsés virent la démolition de leur demeure ancestrale. Entre-temps, des délégués d'un village non armé et pacifique à l'ouest de Jérusalem, Deir Yasin, conclurent un pacte de non-agression avec des représentants de Givat Sha'ul, la colonie juive la plus proche. Au cours de la nuit du 9 avril, qui marquait la fin d'une journée de repos et de culte pour les musulmans et le début du sabbat juif, quatre-vingts hommes armés de l'Irgoun de Givat Sha'ul, rejoints par quarante autres du Stern, prirent d'assaut leur village voisin, massacrant deux cent quarante-cinq hommes, femmes et enfants.

Les rares personnes qui purent fuir confirmèrent le message horrible que les assaillants voulaient transmettre à la population civile du pays. Et la nouvelle électrifia la nation. Après les opérations coordonnées qui avaient fait progressivement tomber les régions côtières sous contrôle juif, la destruction de villages autour de Jérusalem et l'expulsion de ses habitants, l'opération du nom de code Jevussi était en place pour prendre les quartiers résidentiels de Jérusalem. Le massacre de Deir Yasin ne datait que de deux semaines lorsque les quartiers résidentiels de Jérusalem-Ouest furent assaillis. En l'espace de quarante-huit heures, les familles de Katamon, Talbiyyeh et Baq'a s'enfuirent dans la panique, laissant sur place tous leurs biens. Un certain nombre de familles de Jérusalem-Ouest possédaient des icônes, des tableaux, des antiquités et des objets d'art représentant plus d'un demi-siècle de création palestinienne. Et on ne revit plus jamais ces objets inestimables, patiemment rassemblés au cours de toute une vie. Avec la partie occidentale de la ville tombée aux mains des forces militaires juives et la partie orientale tenue par une poignée de partisans, rejoints tardivement à la mi-mai par une brigade de la légion arabe, Jérusalem se scinda en deux mondes. Situé entre les deux, l'atelier abandonné des frères Badran dans la rue Mamillah était destiné à tomber dans le no-man's-land.

III. Traces

Dans la première décennie qui suivit la fondation d'Israël, Jamal Bayari, de Jaffa, et Hanna Mismar, de Nazareth, furent les deux premiers artistes locaux à tenter de reprendre leurs expériences dans leurs genres respectifs. Si les tableaux de Bayari dépeignaient des scènes envoûtantes de la vieille ville de Jaffa après qu'elle eut été évacuée par ses habitants, les groupes de figurines naïves en terre cuite de Mismar représentaient des individus spécifiques qu'il connaissait personnellement parmi les foules galiléennes qui amorcèrent l'exode palestinien. Jusqu'à ses derniers jours, Mismar refusa de vendre aucune de ses figurines, alors que sa propre entreprise de céramique avait été gravement touchée. Bayari, en revanche, ne put jamais vendre un seul tableau et mourut chez lui dans la misère. Il y eut pourtant une lueur d'espoir pour un jeune villageois de Reyneh du nom d'Ibrahim Hanna Ibrahim, lorsqu'il fut admis à Bezalel dont il fut ensuite diplômé. L'exposition personnelle qu'il monta à Nazareth fut un événement sans précédent parmi les Arabes d'Israël. Elle attira des foules de compatriotes d'Ibrahim, qui affluèrent de toutes les régions de Galilée. Malheureusement, le jeune homme renonça à tout espoir de gagner sa vie dans l'État juif et émigra aux États-Unis où il mourut quelques années après son arrivée. Lydia 'Atta, qui émigra plus tôt en Australie, laissa derrière elle tous les tableaux qu'elle avait peints représentant les toits, les dômes et les beffrois de sa ville natale. On ne sait pas comment le nouveau continent influença son œuvre, mais les premiers tableaux de 'Atta continuent de nous parler de la joie et de la paix qu'elle avait dû connaître autrefois en grandissant dans sa ville natale de Bethléem. Entre-temps, sa collègue Sophie Halaby, qui ne fut jamais autorisée à retourner dans sa demeure familiale à Jérusalem-Ouest, s'installa dans l'autre moitié de la ville. À Jérusalem-Est, elle continua de peindre à l'aquarelle des paysages de la campagne autour de sa ville natale, avec ses plantes épineuses et ses fleurs sauvages. Elle choisit d'exposer ses œuvres parmi des broderies à l'atelier de sa sœur Asiya, rue Zahra, où les villageoises réfugiées présentaient leurs propres broderies à la vente. Si chacun de leurs ouvrages floraux haut en couleurs était considéré comme un nouveau symbole des terres pastorales qu'on dévastait, les paysages dépouillés de la campagne de Jérusalem peints par Halaby, avec ses cieux orageux et ses oliveraies, devaient inspirer une génération plus jeune d'artistes de Jérusalem dont le talent était destiné à fleurir en exil.

Tous les anciens contacts entre la communauté des artistes du pays, leurs élèves et leurs apprentis furent dissous avec la dispersion de la population palestinienne. Plusieurs carrières artistiques prometteuses furent contrariées, ou se terminèrent dans les camps de réfugiés. Le jeune John Mattar (* 1938), né à Jérusalem, ne voyait aucun avenir à son art tant qu'il continuait de vivre dans ce qu'il restait de Jérusalem et émigra au Canada à la première occasion. Un professeur d'art plus âgé comme Zalatimo, des maîtres artisans comme les frères Badran et le peintre 'Awdeh trouvèrent des postes d'enseignant dans différents pays arabes qui venaient de conquérir leur indépendance. Al-Sa'di arrêta complètement de peindre et consacra sa vie à enseigner

les beaux-arts dans une école pour réfugiés palestiniens à Damas. Quant à l'autodidacte George Fakhouri, qui avait laissé l'essentiel de son œuvre à Acre, il continua, après s'être établi à Beyrouth, de peindre à l'aquarelle des miniatures représentant son environnement. Avant d'y mourir, il eut la consolation de voir que certains de ses élèves d'Acre se faisaient eux-mêmes une réputation naissante d'artistes dans les camps de réfugiés. À Bagdad, où il s'installa, Jabra allait devenir l'un des grands animateurs du mouvement artistique irakien, non pas en tant que peintre, mais en tant que critique d'art, dont les écrits furent la principale référence sur l'un des plus importants mouvements artistiques du monde arabe. Beaucoup, comme Jabra, al-Sa'di, 'Awdeh, al-Khadra, al-Yahya et al-Sha'ir, abandonnèrent complètement la peinture. Chacun cherchait le moyen de survivre tandis qu'une ère nouvelle s'ouvrait dans l'histoire tourmentée de la Palestine.

IV. La mémoire prend corps

La peinture palestinienne ne commença à refaire surface qu'une dizaine d'années après la chute du pays. À ce moment-là, les tendances étaient modelées avant tout par des peintres qui se trouvaient réfugiés dans l'un des pays arabes voisins. À la différence de la plupart de leurs prédécesseurs, beaucoup d'artistes de cette génération de réfugiés purent recevoir une certaine formation artistique, tandis que d'autres s'appuyèrent sur la formation qu'ils avaient reçue dans les écoles de la Palestine sous mandat. Le plus important est que cette génération d'artistes découvrit pour la première fois le large spectre de courants artistiques contemporains dans le monde arabe. Un certain nombre de ces artistes réfugiés eurent pour la première fois la possibilité d'exposer. Si chacun d'eux travaillait et évoluait indépendamment, leurs œuvres conservaient des traits communs nourris par l'expérience du déplacement et de l'exil. Certains artistes de cette génération de réfugiés tentèrent de saisir sur leurs toiles leurs souvenirs des détails d'un foyer perdu ou les visions d'une enfance paisible. D'autres choisirent d'explorer les références visuelles fournies par le répertoire de leur héritage culturel, qu'il fût chrétien ou islamique, populaire ou allégorique. Bref, au cours de cette première décennie de renaissance, la peinture palestinienne se caractérisa par une grande diversité de styles individuels. Quelques-uns de ces artistes furent considérés comme d'éminents représentants de la vie artistique de leur pays d'adoption. Pendant les vingt années qui suivirent la chute de la Palestine, tous les pays arabes environnants virent une remise en cause de leur système politique, et la région fut le théâtre d'une série de coups d'État en Égypte, en Syrie et en Iraq. Simultanément, de nombreuses conventions antérieures dans l'expression culturelle commencèrent à être contestées par les nouveaux courants politiques. Les arts visuels, qui passaient généralement pour inférieurs aux arts oraux, commencèrent à faire sentir leur présence sur la scène culturelle. À Bagdad et au Caire, l'État accorda un large soutien aux arts, et Beyrouth devint la capitale artistique cosmopolite de la région. C'est là que plusieurs artistes palestiniens réfugiés firent leurs débuts.

Paul Guiragossian (1926-1993) fut l'un des maîtres de sa génération, et son originalité se manifesta dans la capitale libanaise où elle trouva à se nourrir. Né à Jérusalem, fils d'un violoniste aveugle, Guiragossian fut recueilli et éduqué par des moines catholiques entre l'âge de trois et dix-sept ans. Pendant les quatre dernières années qu'il passa comme pensionnaire au couvent franciscain de Jérusalem, il fut initié à l'art de la peinture religieuse italienne par deux peintres italiens, Magnetti et Petriarchetti. La mort de son père, qui coïncida avec la montée de la violence dans le pays, incita le jeune à partir avec sa famille pour Beyrouth, où il choisit de vivre jusqu'à la fin de ses jours dans l'une de ses banlieues les plus pauvres. Peintre prolifique, Guiragossian fut considéré comme un éminent représentant de la vie artistique libanaise et se vit décerner les plus hautes distinctions du pays. Tout au long de sa carrière, les images enregistrées au cours de ses années de formation à Jérusalem continuèrent pourtant d'être la marque caractéristique de son art. En voyant les premières toiles de Guiragossian, qui représentent à de nombreuses reprises des personnages de son milieu d'origine, le spectateur ne peut s'empêcher de voir des reconstitutions de compositions religieuses. Le thème répété de la mère et de l'enfant rappelle souvent l'icône de la Vierge Marie. De même, ses premiers tableaux représentant des réunions de famille autour d'une mariée ou d'un nouveau-né évoquent les images de groupe de l'entrée de la Vierge au Temple ou celles illustrant des scènes de la Nativité. Ses tableaux ultérieurs, dépeignant des groupes frontraux ou des figures debout, continuent de refléter la mise en scène verticale de figures debout représentant les apôtres du Christ dans les icônes. Si les peintres d'icônes de l'école de Jérusalem transmirent la tradition byzantine de l'icône au domaine populaire, les tableaux de Guiragossian cherchaient, eux, à élever les gens ordinaires avec qui il était en contact, en sanctifiant leurs gestes et leurs rituels quotidiens. Dans ses premières œuvres figuratives, les traits humains sont souvent obscurcis par des ombres foncées et dramatiques, intensifiées par le contraste d'éclairs de lumière concentrée qui illuminent la figure centrale, de même que l'auréole traditionnelle surmontait autrefois la tête d'un saint. Ses tableaux ultérieurs sont emplis de verve et de fraîcheur, réduisant tous les détails du corps à de vigoureuses touches de peinture épaisse rehaussées d'accents lumineux en couleurs vives. Toutes les figures verticales de Guiragossian, qu'elles soient figuratives ou abstraites, sont pourtant constamment serrées les unes contre les autres, comme pour exprimer la fusion de son identité arménienne et de son expérience palestinienne. Dans les thèmes bibliques de l'exode et de l'exil qu'il peignit, Guiragossian fonda le vocabulaire de son propre monde, un monde où les déshérités palestiniens avaient revécu la misère des Arméniens.

Juliana Seraphim (*1934) est une autre artiste de la même génération de réfugiés palestiniens, aussi estimée que Guiragossian dans les milieux artistiques de Beyrouth, et sa contribution fut justement reconnue par le public libanais éclairé. À la diffé-rence de Guiragossian, toutefois, qui emprunta à ses années de formation à Jérusalem les thèmes de son iconographie person-nelle, Seraphim choisit de plonger dans sa mémoire intime pour ramener des images de son paradis perdu. Seraphim avait qua-torze ans lorsque sa ville natale de Jaffa tomba. Avec sa famille, elle fuit sa ville côtière natale en bateau pour gagner Saïda. Lorsque la perspective de rentrer au pays s'éloigna, la famille Seraphim s'installa à Beyrouth, où la jeune fille commença à enseigner dans une école pour réfugiés palestiniens. Elle prit éga-lement des cours avec le peintre libanais Jean Khalifé et com-mença à consacrer de plus en plus de son temps à la peinture. Son talent lui valut des bourses pour aller à Madrid, Florence et Paris, où elle poursuivit ses études de façon indépendante. Elle emprunta ses métaphores visuelles au Jaffa de son enfance, pour créer un vaste ensemble de dessins à la plume et de peintures où se déploie un monde imaginaire sinueux. L'espace éthéré de ses fantaisies défie tout sens de gravité, tandis que son imagerie sug-gestive et érotique conteste les conventions sociales de l'artiste. Débordant de vergers imaginaires, ses tableaux sont marqués par les courbes des bourgeons sculptés et des pétales sauvages qui tournoient et ondulent parmi les formes translucides scin-tillantes, évoquant des contours féminins. Dans l'espace marin de Seraphim, le plumage d'oiseaux imaginaires se mêle aux vagues et aux coquillages, souvenirs d'une enfance passée entre le bord de mer et l'orangeraie. Souvent, à travers ses êtres ailés qui semblent rendre hommage aux origines bibliques de son nom de famille, on voit un visage de femme émergeant derrière des voiles nuptiaux. Si la « mariée » a toujours signifié « Jaffa » dans l'arabe palestinien vernaculaire, les traits nuptiaux dans les tableaux de Seraphim révèlent invariablement le visage de l'artiste.

Alors que Guiragossian et Seraphim s'étaient fait une répu-tation au Liban, **'Abdallah al-Qarra** (*1936) fut le premier artiste de sa génération à être reconnu au sein même d'Israël. Ce druze de Daliyat al-Karmel avait été employé comme jardinier à 'Ain Hawd, un village voisin. Une fois ses occupants arabes éva-cués, 'Ain Hawd fut transformé en une colonie artistique par une communauté composite de colons juifs. Par leur intermé-diaire, al-Qarra eut accès aux fournitures artistiques et décou-vrit son propre talent pour la peinture. Al-Qarra (dont le pré-nom fut changé par ses protecteurs en Ovadia, l'équivalent hébreu de son nom arabe) obtint ensuite des bourses pour aller peindre à Paris, et vécut et travailla pendant de longues périodes à New York. Les milieux artistiques juifs, en Israël et à l'étranger, acclamèrent son œuvre, mais il était constamment à la recherche de son identité culturelle. Ses premières œuvres se limitaient à des dessins improvisés à l'encre, emplis de coupoles et d'arbres stylisés, d'oiseaux délicats et de motifs floraux minia-tures qui rappelaient les motifs ornementaux des vêtements druzes palestiniens. Par la suite, ses thèmes changèrent de façon radicale. Ses grandes toiles, faites de coups de pinceau grossiers et entrelacés, et de couleurs qui se recouvrent, représentaient souvent de grands vautours dévorant leur proie sanglante. Al-Qarra peignit à maintes reprises un homme tapi dans l'ombre, dont le visage est couvert d'un masque.

Ibrahim Hazima (*1933) fait lui aussi partie de cette généra-tion d'artistes palestiniens pionniers, et il fut le premier à faire carrière en dehors de la région. Né à Acre, il s'enfuit en bateau à l'âge de quinze ans, avec sa famille, pour gagner Latakieh, en Syrie. Là, l'adolescent subvint aux besoins de sa famille en tra-vaillant comme docker pendant la journée. Grâce à son profes-seur George Fakhoury, qui lui insuffla l'amour de la peinture, Hazima consacra tous ses loisirs à la pratique de son art. Le suc-cès de sa première exposition, à Damas, lui valut une bourse pour aller à Leipzig, où il décida plus tard de s'établir. Insensible au réalisme socialiste qui prévalait dans cette ville de l'ex-Alle-magne de l'Est, il choisit de peupler ses œuvres d'images de sa campagne natale. Éloigné de son lieu de naissance, Hazima ne manifeste dans ses tableaux aucun intérêt pour l'illusion spatiale ; au lieu de quoi toutes les composantes de sa composition par-tagent le même plan. Avec une simplicité enfantine et une palette automnale, les toiles unidimensionnelles de Hazima se confinent à un répertoire restreint d'éléments figuratifs. Les limites de ses composantes donnent à son œuvre une dimension iconique. Par les relations visuelles qui lient les éléments constitutifs, l'artiste y intègre ses associations métaphoriques. La silhouette de minces paysannes portant des paniers sur la tête devient interchangeable avec celle de pins-parasols ou d'oliviers disséminés. De simples courbes définissant le corps de la jeune femme ou l'arbre reflètent les caractéristiques arabes des fragiles demeures villageoises. Les dimensions communes que partagent la jeune fille, l'arbre et la demeure villageoise renforcent l'allusion à l'imagerie métaphorique de Hazima. La nature fluide interchangeable de ses éléments iconiques lui permet de développer des images métaphoriques qui ont leurs origines dans la poésie populaire et la poésie nationale palestinienne. Dans ce contexte, les arbres sont souvent personnifiés, et la patrie devient une fidèle épouse.

Si les images iconiques de Hazima furent rêvées en Allemagne, **Ibrahim Ghannam** (1931-1984) est le premier artiste palestinien dont toute l'œuvre fut créée dans la sinistre réalité d'un camp de réfugiés. Né dans le village côtier de Yajur, cet autodidacte redécouvrit son passe-temps de jeunesse, la peinture, dans le camp de Tel Zaatar de Beyrouth, où la polio l'avait cloué dans un fauteuil roulant. Grâce à l'infirmière de l'U.N.R.W.A. qui lui apportait ses fournitures, il put se consacrer à la peinture. Alors que le cube qui lui servait de chambre donnait sur des égouts à ciel ouvert, il peignit de mémoire de vastes paysages de campagne débordant de vie pastorale et de fêtes villageoises. Chaque œuvre était naïvement exécutée avec la précision charmante d'une miniature islamique, tous les détails retenant la même attention. Et alors qu'il vivait de rations en boîte et de maigres repas, Ghannam célébra dans ses toiles les fertiles champs dorés et les somptueuses orangeraies de la côte palestinienne. Ses personnages étaient des hommes joyeux alignés pour une danse de groupe sur une place de village, des femmes qui chantaient à une noce familiale, des enfants qui s'amusaient et des paysans qui travaillaient dans de verdoyants pâturages avec leurs troupeaux qui paissaient au loin. Dans cette splendide narration visuelle, il retraçait les rythmes de la vie quotidienne à Yajur. Ce village, rasé après l'exode palestinien, ressuscitait uniquement dans l'œuvre de Ghannam. Les tableaux qui survécurent aux épreuves de la guerre, lesquelles poursuivirent l'artiste jusque dans son abri, perpétuèrent une légende pour la nouvelle génération de Palestiniens née dans les camps de réfugiés.

À une époque où les peintures naïves de Ghannam étaient encore inconnues en dehors du camp de Tel Zaatar, trois autres artistes d'autres camps de réfugiés éloignés faisaient leur entrée dans le monde arabe, indépendamment l'un de l'autre : **Isma'il Shammout** (*1930), **Mustafa al-Hallaj** (*1938) et **Naji al-'Ali** (1937-1987). Employant des formes différentes d'expression figurative, chacun d'eux essaya par son œuvre d'exprimer un message intrinsèquement politique chargé d'images conçues dans le camp de réfugiés.

Une fois la ville de Lydda tombée aux mains des troupes juives, Isma'il Shammout fut parmi les nombreux palestiniens qui fuirent leur maison sous la menace des armes. Sa longue marche avec les membres de sa famille et ses voisins se termina dans un camp de réfugiés de Gaza, où il commença à travailler comme vendeur ambulant. À ses moments libres, le jeune homme de dix-huit ans, qui avait été l'un des élèves préférés de Daoud Zalatimo à Lydda, prit le pinceau pour donner corps à son expérience personnelle de l'exode palestinien. Al-Hallaj, réfugié dont le village ancestral de Salma avait été effacé de la carte, grandit dans un camp de réfugiés des faubourgs de Damas. L'adolescent y fut incité à donner une expression visuelle à sa propre expérience d'exilé. Quant au plus jeune des trois, al-'Ali, dont le village natal, Shajara, connut le même sort que celui d'al-Hallaj, il trouva refuge avec sa famille dans un camp de Saïda, au Liban. Après ses cours à l'école d'une mission locale, il trouva de petits emplois dans les plantations d'agrumes et sur des chantiers de construction, tout en poursuivant le passe-temps préféré de son enfance. Parmi ces trois artistes réfugiés, al-'Ali est le seul qui resta autodidacte. Shammout et al-Hallaj eurent tous deux la possibilité de poursuivre leurs études artistiques en Égypte, qui, à l'époque, était le fer de lance de la lutte anticoloniale dans la région.

L'inauguration par Nasser, le leader égyptien, en 1954, de l'exposition de Shammout fut un moment décisif pour le jeune étudiant palestinien. Au fil des ans, sa carrière s'orienta vers une forme de peinture narrative dont le thème central était une chronique de la saga palestinienne qui visait à rallier les soutiens à la cause nationale. En 1965, un an après la création de l'Organisation pour la libération de la Palestine, Shammout était pour l'OLP le choix idéal pour diriger sa section beaux-arts. Après avoir emprunté son répertoire visuel éclectique aux modèles du réalisme socialiste, Shammout revêtit ses images d'objets artisanaux palestiniens et d'allégories orales populaires. Ses premières toiles étaient peuplées de personnages misérables des camps de réfugiés, tandis que ses œuvres ultérieures présentaient des images optimistes de combattants héroïques et de paysages idylliques au lendemain de la libération imaginaire. De ton plus tragique et plus personnel, les œuvres allégoriques d'al-Hallaj révélaient une imagerie irréelle d'hommes, de femmes et de bêtes sans visage. Chacune de ses compositions était un sombre univers d'associations dans lequel les figures humaines animées, de proportions variables au sein du même champ, étaient représentées dans une narration complexe et chimérique. Au fil du temps, la popularisation de la forme d'iconographie politique de Shammout et l'audacieuse liberté avec laquelle al-Hallaj formula son imagerie irréelle ouvrirent la voie à des amateurs et dilettantes plus nombreux parmi la population de réfugiés. Ces amateurs s'associèrent à ce cri de libre expression et présentèrent leurs productions lors de toutes les expositions palestiniennes dans la région. Quant à al-'Ali l'autodidacte, il abandonna complètement la peinture. Soucieux de toucher les masses, tout comme Shammout et al-Hallaj, il opta pour une carrière de caricaturiste politique. Par ses dessins dans le journal quotidien, il cultiva une forme d'expression communicative qui lui permit d'intégrer moyens verbaux et visuels, sans les affectations qui pesaient sur ce qui était considéré comme art dans son entourage.

Parmi les trois artistes populistes qui émergèrent des camps de réfugiés, c'est toutefois Shammout qui obtint la plus grande reconnaissance officielle et le plus important soutien institutionnel pour ses tableaux. Un grand nombre de ses œuvres, reproduites en couleur, devinrent de véritables icônes domestiques dans les camps et partout où les Palestiniens élisaient résidence. Al-'Ali, de son côté, entrait quotidiennement dans les maisons de tout le monde arabe. Ses dessins satiriques, extrêmement populaires, résumaient la position du Palestinien ordinaire face aux événements politiques qui se déroulaient dans sa région. Ses critiques sans ménagements ne furent cependant pas tolérées longtemps. La remarquable carrière d'al-'Ali, qui s'étendit sur plus de vingt-cinq ans, se termina brutalement lorsqu'il fut assassiné dans une rue de Londres.

V. Le passé à l'est du Jourdain

La fin de la guerre des Six Jours en 1967 marqua une autre phase dans le déplacement des populations palestiniennes, lorsque des zones tout entières tombèrent sous occupation militaire israélienne. La longue lutte pour l'autodétermination qui suivit, même si elle donna aux Palestiniens une place sur la carte politique, laisse néanmoins depuis trente ans, dans une large mesure, leurs aspirations nationales insatisfaites. Au cours de cette phase récente de l'histoire de la peinture palestinienne, les artistes émergèrent dans quatre régions différentes : les pays arabes voisins avec d'importantes communautés de réfugiés palestiniens ; la Cisjordanie et la bande de Gaza, qui tombèrent toutes deux sous le pouvoir militaire israélien après la guerre ; la Galilée et le Triangle qui avait été incorporés à Israël depuis 1948 ; et les communautés d'exilés au-delà du Proche-Orient. Où qu'il pût se trouver, chaque membre de cette nouvelle génération d'artistes palestiniens était engagé dans la quête d'un langage personnel. Certains se mirent à exprimer, chacun à sa façon, leur situation en relation avec la culture collective et le rêve national, reflétant souvent dans leurs œuvres leur proximité ou leur distance par rapport à leur terre natale.

Les deux décennies qui suivirent la création de l'Union des artistes palestiniens en 1969 virent un essor sans précédent dans les expositions de groupe d'artistes palestiniens. Plusieurs expositions itinérantes furent montées avec succès dans le monde arabe et à l'étranger, et les œuvres de jeunes artistes de Cisjordanie et de Gaza furent présentées pour la première fois avec des œuvres d'artistes palestiniens vivant en Syrie, au Liban, au Koweit, mais aussi en Europe, aux États-Unis et au Japon. Tableaux, estampes et bas-reliefs d'artistes, autodidactes ou non, étaient exposés côte à côte. Parmi les hommes et les femmes de la population réfugiée vivant dans les pays arabes, dont les œuvres se firent connaître avant tout grâce aux expositions de groupe parrainées par l'Union, citons Muhammad Bushnaq (*1934), Tamam Akhal (*1935), Tawfiq 'Abd al-'Al (*1938), Nasr 'Abd al-'Aziz (*1942), Saleh Malhi (*1943), 'Abd al-Rahman Muzayyen (*1943), Samir Salameh (*1944), Nawal Iskandarani (*1945), Kamil Hawwa (*1946), Sumayya Sbeih (*1946), Jamal Gharbiyyeh (*1948), Hanan Agha (*1948), 'Abd al-Hadi Shalla (*1948), Imad 'Abd al-Wahab (*1950), Jamal Afghani (*1950), Hind Hijazi (*1954), Husni Radwan (*1955) et 'Adnan Yahya (*1960).

La plupart des Palestiniens vivant dans les pays arabes qui pratiquaient telle ou telle forme d'art restèrent marginaux par rapport à la vie artistique de leur pays de résidence. Mais l'œuvre de leurs compatriotes vivant en Jordanie était considérée comme une contribution intrinsèque au mouvement artistique du royaume. La Jordanie avait accueilli des vagues successives de réfugiés palestiniens et était devenue, au fil des ans, une pépinière d'artistes qui étaient nés et avaient grandi en Palestine. Les liens culturels entre Jordaniens et Palestiniens furent noués dès que la Jordanie eut conservé la tutelle de la Cisjordanie, et le développement de l'art dans le royaume naissant fut ensuite façonné par la symbiose culturelle entre les deux peuples tant aux niveaux individuels qu'institutionnels. Le centre artistique Darat al-Funun, fondé par une institution palestinienne et dirigé par une artiste originaire de Jérusalem, est l'une des

expressions récentes de cette symbiose culturelle dans la capitale jordanienne. Le centre offre des ateliers de création et un espace d'exposition unique pour tout artiste résidant en Jordanie ou à l'étranger. Fatima Muhib (*1920), Ahmad Na'wash (*1934), 'Afaf 'Arafat (*1938), Saleh Abu Shindi (*1938), Samia Zaru (*1938), Yaser Duweik (* 1940), Mahmoud Taha (*1942), Suha Shoman (*1944), 'Aziz 'Amoura (*1945), Rula Shuqairi (*1946) et Fu'ad Mimi (*1949) sont au nombre des natifs de Palestine qui ont contribué par leur œuvre à modeler la vie artistique en Jordanie. Najwa 'Annab (*1958), 'Adnan Yehya (*1960) et Hazem Zu'bi (*1962) sont parmi les enfants de réfugiés palestiniens nés en Jordanie. Un certain nombre d'artistes palestiniens de Jordanie reçurent une formation artistique dans le monde arabe ou à l'étranger, mais beaucoup étaient pour l'essentiel autodidactes. Les œuvres de Saleh Abu Shindi et de Mahmoud Taha représentent deux contributions palestiniennes à un courant de l'art contemporain arabe qui connut une large popularité dans les années soixante-dix et quatre-vingt. En comparaison, les tableaux de Ahmad Na'wash et de Suha Shoman sont deux exemples d'œuvres plus personnelles nées en Jordanie.

Saleh Abu Shindi et **Mahmoud Taha**, tous deux originaires de Jaffa, tentèrent de répondre aux questions posées par Jamal Badran avant la chute de la Palestine. Abu Shindi, qui étudia la peinture au Caire, et Taha, qui étudia la céramique et la calligraphie à Bagdad, parvinrent chacun dans leur art à une synthèse entre les motifs islamiques traditionnels et une forme personnelle d'abstraction. Dans ses dessins au trait et ses huiles sur toile, Abu Shindi composa des aires contrastantes de lumière et d'ombre dans lesquelles des formes angulaires et ovales se rencontrent de manière aléatoire à l'intérieur de son cadre. Des motifs pleins superposés à des aires tonales lâchement définies entremêlent souvent des mots arabes ou des rubriques alphabétiques à des éléments géométriques sinueux. Les motifs superposés d'Abu Shindi rappellent souvent les marges décoratives des manuscrits populaires islamiques. En outre, il emprunta tout un ensemble de codes et de références culturels aux symboles talismaniques quotidiens couramment utilisés sur les objets personnels, les vêtements et dans les maisons. Enfermés dans des niches attenantes, ces symboles comprennent la main de Fatima, un arbre de la fécondité stylisé, un oiseau oracle ou tout simplement un croissant. L'amalgame de références populaires était pour le spectateur le gage de l'identité arabe et islamique de ses abstractions.

Si les abstractions de Taha sont dépourvues de références populaires figuratives, elles n'en sont pas moins marquées par les codes culturels de l'artiste. Employant comme moyen d'expression l'art utilitaire traditionnel de la poterie et de la céramique, il crée des poteries vernies de formes nouvelles, des pièces sculpturales et des bas-reliefs muraux dont l'unique fonction est de servir de véhicule à sa narration picturale. Les céramiques de Taha sont marquées par une constante juxtaposition de contrastes, et soulignent les oppositions de texture et de forme. Les surfaces rugueuses de terre cuite sont toujours opposées aux surfaces lisses et vernies, et les renflement arrondis et surélevés aux angles renfoncés. Ses formes sphériques rencontrent sans cesse des cadres rectangulaires, avec des murs légèrement surélevés et crénelés qui flanquent des voûtes, des arches et des dômes. Le lien le plus habituel entre les éléments contrastants de Taha est composé de fragments de l'étoile des Omeyyades, d'une maxime ou de bandes de vers arabes généralement en écriture coufique anguleuse.

De même qu'Abu Shindi s'appuie sur les symboles figuratifs les plus familiers pour rendre l'ethos arabe et islamique de son identité culturelle, Taha utilise des maximes ou des vers que les Arabes et les musulmans connaissent certainement par cœur. Les vers qu'il intègre à son œuvre sont généralement empruntés soit au Coran soit à la poésie nationaliste contemporaine. Les objets d'art abstraits de Taha soulignent donc l'héritage à la fois arabe et islamique de son identité culturelle et collective.

Ahmad Nawash et **Suha Shoman** font partie d'un autre groupe d'artistes qui nourrirent la vie artistique jordanienne. Renonçant à l'abondance de références visuelles qui identifient leur culture, tous deux réussirent à créer leurs propres codes à travers lesquels leur expérience palestinienne trouve à s'exprimer. En fait, parmi les artistes palestiniens de Jordanie qui firent des études poussées à l'étranger, Ahmed Na'wash peut être considéré comme le plus constant dans son interprétation thématique et stylistique du monde intérieur d'un Palestinien. En revanche, les œuvres plus expérimentales de Suha Shoman, qui était pour l'essentiel autodidacte, explorent un espace extérieur dans lequel le désert jordanien offrit perpétuellement à l'artiste son répertoire de métaphores palestiniennes.

Na'wash avait quatorze ans lorsque son village de 'Ain Karem tomba. Les tableaux qu'il peignit après ses années d'étude à Rome et à Paris semblent obstinément vus à travers les yeux de ce villageois de quatorze ans. Ses toiles aux couleurs pastel sont toujours peuplées de groupes de figures au visage vide, dont les corps mutilés flottent dans un champ grisâtre qui ne préserve aucun signe de gravité. Comme des marionnettes sur un fil invisible, les figures de Na'wash, avec leurs yeux en bouton et leurs membres plans et disproportionnés, teintés de rose saumon, de sépia et de jaune pâle, émergent de leur désert pour jouer le drame de leur angoisse sans voix. Certains ont les mains vides, tandis que d'autres tiennent des objets personnels ; on voit ainsi un personnage à cheval sur les épaules d'un autre ; quelques-uns s'appuient sur des béquilles tandis que leurs voisins s'appuient simplement l'un sur l'autre ; un tel peut se targuer de deux têtes sur ses épaules, tel autre peut avoir les oreilles pointues, et un troisième court vers le vide. Souvent, l'univers absurde du récit de Na'wash réduit ses êtres couleur de terre, composés de chiffons rapiécés et de parties raccommodées, à ce qui pourrait ressembler à une troupe d'épouvantails qui habitent ensemble dans un vide sans ciel de boue et de fumée. Par leur existence creuse, les personnages naïvement composés de Na'wash racontent invariablement la toute première expérience de perte et de désespoir d'un enfant.

À la différence des tableaux de Na'wash, qui sont de dimensions intimes, les toiles pour la plupart verticales de Shoman sont la projection d'un monde de couleur vaste et altier. Née et élevée à Jérusalem, Shoman passa des années seule à retracer les formations rocheuses désertiques et les modulations de couleur des ruines nabatéennes de Pétra en Jordanie. Les gorges rocheuses étroites et sinueuses conduisant au monument central de la Ville rose sont le sujet d'une série ininterrompue d'œuvres abstraites. Tableau après tableau, Shoman essaie de saisir le déploiement dramatique de ce passage ondulant, fermé de part et d'autre par de monumentales dalles d'obscurité qui attirent le voyageur vers la fissure déchiquetée de lumière devant lui. À travers les yeux de Shoman, certains rochers se chargent d'une connotation anthropomorphique, tandis que d'autres prennent une apparence métaphorique, car ses pigments se mélangent souvent aux sables de Pétra. Avec des bandes de nuances de couleur en larges touches, qui se chevauchent les unes les autres, elle libère un déluge de couleurs dégradées, délavées par des fragments ondulants de couleurs crépusculaires. Des couleurs terre et bordeaux aux bleus nuit et au lilas, les étincelles de lumière fluide glissent à travers la fissure lointaine par laquelle un monde s'apprête à laisser éclater la lueur ardente du feu. Dans sa quête de la splendeur dépouillée du désert jordanien, cette artiste de Jérusalem semble être parvenue à sa conscience première de l'espace sacré. Sa série de tableaux de Pétra, et le fait qu'elle soit possédée par ses rochers, sont un hommage personnel au rocher sacré qui fonda autrefois sa ville natale.

VI. Ouvertures sur une narration autochtone

L'occupation militaire de la Cisjordanie et de la bande de Gaza coupa soudain la région des principaux courants culturels du monde arabe. Simultanément, tous les journaux, les maisons d'édition, les imprimeries, les programmes universitaires et culturels furent soumis à l'approbation des autorités militaires israéliennes. En l'espace de quelques années, les territoires occupés se transformèrent en ghetto culturel. Une nouvelle génération d'artistes y émergea néanmoins, dont l'œuvre reflétait de manière convaincante les particularités de leur situation ; elle

comprenait notamment : Karim Dabbah (*1937), Tayseer Sharaf (*1937), Nabil 'Anani (*1943), Kamel Mughanni (*1944), Vera Tamari (*1945), Fathi Ghabin (*1947), 'Isam Badr (*1948), Souleiman Mansour (*1947), Faten Toubasi (*1958), Tayseer Barakat (*1959), Samira Badran (*1959), Khalil Rabah (*1961), Yusif Dweik (*1963) et Jawad Malhi (*1965). Grâce à la Ligue des artistes palestiniens fondée en 1973, beaucoup d'entre eux furent finalement en mesure de monter des expositions collectives de leurs propres œuvres. Comme les territoires occupés n'avaient ni galeries ni institutions professionnelles pour accueillir les œuvres de ces jeunes artistes, les expositions se tenaient dans les écoles, les mairies, les bureaux de syndicats et les bibliothèques publiques. Au sein de cette région transformée en ghetto culturel, cet art produit localement fut une source de fierté nationale pour la communauté. Du jour au lendemain, les expositions artistiques devinrent des événements communautaires qui attiraient des foules de toutes les couches de la société. Les autorités militaires israéliennes finirent par considérer ces expositions comme les emblèmes d'une identité collective, et pensèrent que leur message équivalait à un geste de résistance politique. La censure israélienne s'abattit donc bientôt sur toutes les activités artistiques. Aucune exposition ne pouvait avoir lieu en public sans l'accord écrit des autorités militaires israéliennes. L'emploi des quatre couleurs du drapeau palestinien fut interdit. Une tentative pour créer une galerie locale avorta. Les expositions non autorisées par l'armée israélienne étaient prises d'assaut par la troupe, le public était chassé, les tableaux confisqués, les artistes interrogés et certains arrêtés. Ces mesures ne passèrent cependant pas inaperçues, car une partie de l'intelligentsia israélienne et des organisations non gouvernementales internationales protestèrent. Les jeunes artistes continuèrent de peindre chez eux et d'exposer dans tous les endroits qu'ils avaient à leur disposition. Plus cette forme d'expression était réprimée, et plus elle devenait forte.

Fathi Ghabin, originaire de la bande de Gaza, né à Herbia et élevé dans le camp de réfugiés de Jabalya, est l'un des artistes qui devinrent des héros de la communauté au cours de cette période. Ce peintre autodidacte, vernaculaire, emprunta de manière éclectique des symboles culturels populaires pour protester contre l'état de siège. À plus d'une reprise, le jeune artiste fut emprisonné. À un moment, il fut condamné à six mois de prison pour avoir exposé un tableau représentant sa nièce de sept ans drapée des couleurs palestiniennes, tuée par balle lors d'une manifestation dans une rue de Gaza. Peu de temps après sa libération, il célébra son retour chez lui dans une grande toile où l'on voyait une manifestation imaginaire. Au-dessus des visages rayonnants de la foule, deux bras portant des chaînes brisées encadrent le ciel d'un bleu soutenu. Entre les bras levés, un étalon blanc, enveloppé du drapeau, galope au-dessus des nuages. En regardant les détails naïfs des personnages de la foule, le spectateur reconnaît le visage de l'artiste.

Tayseer Barakat, autre artiste de Gaza, propose dans son œuvre une narration personnelle plus méditative. Né et élevé dans le camp de réfugiés de Jabalya, il reçut une bourse pour étudier les beaux-arts à Alexandrie. À son retour, son art apporta une bouffée d'air frais dans l'atmosphère politique étouffante. Ses tableaux, presque tous de petite taille, emploient une palette de nuances pastel composée essentiellement de lilas et de bleus, parfois rehaussées de couleurs terre et de tons dorés, avec des images floues qui déploient un réseau de connotations allégoriques. Ici, dans une lumière du soir qui n'en finit pas, on voit les enfants du camp qui transforment un soleil brûlant en ballon pour jouer ; la chair de femmes minces est baignée de bleu lunaire, rappelant les dunes de sable au loin ; de jeunes colombes dorment dans leur nid, tandis qu'un enfant pieds nus vole paisiblement en plein air au-dessus de la terre stérile du camp.

Vera Tamari, de Cisjordanie, qui complète l'imagerie de Barakat, mais en affirmant une intention artistique différente, a créé à travers ses céramiques un monde de narration visuelle aux couleurs fraîches. Née à Jérusalem, elle étudia à Beyrouth, Florence et Oxford avant de s'installer à Ramallah. Ayant vu les paysans palestiniens systématiquement écrasés depuis des dizaines d'années, cette artiste citadine traqua dans son œuvre les détails de la vie de village avec l'œil d'un ethnographe.

Employant l'un des arts mourants du pays, Tamari reconstitua des objets spécifiques chers au cœur du villageois. En maniant l'argile du potier enrichie de ses vernis de couleur, elle créa des bas-reliefs qui transcendent les limites traditionnelles de la céramique. Dans des miniatures délicatement moulées, elle dépeint des détails floraux et des motifs géométriques, des oliveraies et des maisons de pierre, des ustensiles faits à la main et de petites figures de villageois et de villageoises vaquant à leurs tâches quotidiennes. En célébrant ces simples détails dans son art, elle permet à son spectateur de témoigner de l'humanité d'un monde en cours de disparition.

Par contraste avec les subtiles nuances d'expression de Vera Tamari, **Samira Badran**, autre femme de Cisjordanie, voyait son propre rôle comme celui d'un témoin de la violence militaire, et son art était embrasé par la rage. Née à Tripoli, en Libye, où son père, le maître artisan Jamal Badran, avait cherché refuge et enseigné les beaux-arts et les arts traditionnels islamiques. Deux ans après que la jeune fille de six ans eut regagné avec sa famille leur maison de Ramallah, la région tomba sous occupation. Après ses études au Caire, à Florence et à Barcelone, Badran élabora un langage puissant marqué par la représentation de la guerre. Même une fois qu'elle fut établie en Espagne, ses tableaux continuèrent d'être hantés par l'état de guerre lointain. Couvertes des flammes tourbillonnantes d'une peinture luxuriante, ses œuvres semi-abstraites évoquent des images de barricades qui s'effondrent et de remparts criblés de balles. Ses tableaux plus figuratifs sont emplis de débris de machines – rouages tordus, pointes, fûts, roues bloquées. Au milieu des outils de destruction inanimés on voit parfois des restes de chair humaine et des membres arrachés. Les êtres vivants n'apparaissent que dans les toutes premières œuvres de Badran ; de jeunes femmes et hommes y sont en cage, attachés ou muselés, tandis que les carcasses lointaines d'immeubles bombardés rencontrent des cieux métalliques.

Après l'occupation de la région par Israël, **Souleiman Mansour** fut le premier Palestinien à être admis à l'École Bezalel d'art et d'artisanat à Jérusalem. Né à Birzeit, ce peintre prolifique est l'un des principaux membres du centre artistique al-Wasiti, récemment fondé à Jérusalem. Ses premières peintures figuratives, chargées d'associations allégoriques, furent vénérées comme des emblèmes nationaux. Dans l'un de ses tableaux, des compatriotes voient un arc-en-ciel qui se déverse à travers les barreaux d'une fenêtre de prison puis qui éclate dans les couleurs du drapeau national. Dans un autre, on voit une colombe en vol ; ses ailes ardentes sont transformées en un motif à damier de coiffure palestinienne ; dans le fond, les barreaux de la prison sont arrachés par le vol symbolique. La figure d'une paysanne portant une robe richement brodée occupe souvent une place centrale dans la composition. À travers la figure stylisée et animée de la femme, Mansour donne corps aux images populaires de la patrie telles qu'elles étaient perpétuées par la poésie nationale et populaire palestinienne. Par la suite, ses allégories picturales prirent peu à peu une apparence plus abstraite. Utilisant la terre et les matériaux locaux mélangés à la peinture, Mansour exécuta de nombreuses séries d'œuvres abstraites à la texture très marquée. Dans l'une des premières, le titre du tableau livre la clef du langage allégorique de Mansour. Si la surface grossière rappelait les traces de la terre brûlée, chacun des tableaux de cette série empruntait son titre à l'un des villages qui avaient été rasés par les forces armées et dont le nom avait été rayé des cartes d'Israël.

VII. Le paysage raconte sa propre histoire

Quant à la génération d'artistes palestiniens qui grandirent en Israël, ils venaient tous de la région rurale de Galilée et du Triangle. Destinés à vivre comme une minorité dans leur pays de naissance, ils créèrent un art qui déployait des images nourries des épreuves de la communauté. 'Abed 'Abedi (*1942), Marwan Aboulheija (*1945), Khalil Rayyan (*1946), Zuhaira Banna (*1946), Walid Abu Shakra (*1946), Thérèse 'Azzam (*1952), Asad 'Azi (*1954), Juhaina Qandalaft (*1954), Daoud al-Hayik (*1955), Kamil Daw (*1956), 'Asim Abu Shakra (1961-1990), Bashir Makhoul (*1963), Ibrahim Noubani (*1964) et Rana Bishara (*1968) sont parmi les artistes de cette région. Par contraste avec les associations allégoriques et les références culturelles qui marquent les principaux courants artistiques de la Cisjordanie occupée et de la bande de Gaza, l'art des principaux artistes émergeant de Galilée et du Triangle témoigne d'un besoin d'honorer la campagne natale et de dramatiser ainsi la relation intime du Palestinien avec la terre. Les œuvres de 'Abed 'Abedi et de Walid Abu Shakra en sont de saisissants exemples.

Né à Haïfa, **Abed 'Abedi** suivit les cours d'Abraham Yaskil et de Zvi Mairowitch tout en gagnant sa vie comme forgeron. Ses premiers dessins ornèrent les pages des périodiques arabes qui commençaient à paraître en Israël. Le talent de 'Abedi lui valut ensuite une bourse pour étudier à Dresde. À son retour, il fut le premier artiste palestinien à réaliser des œuvres sculpturales sur son sol natal. L'un de ces monuments est construit dans le village de 'Ibillin. 'Abedi y a créé, avec les enfants du village, une immense œuvre murale s'étendant sur la cour de récréation de leur école. Conçu comme une mosaïque, le mur légèrement courbe est composé de pierres indigènes cassées en morceaux plats, de forme géométrique irrégulière, dans des teintes naturelles et des couleurs limitées. Avec cette œuvre collective imaginée et orchestrée par 'Abedi, les enfants palestiniens nés en Israël eurent leur première leçon allégorique fondé sur un récit biblique. Le mur de leur école représentait en effet la légende de la survie d'Élie dans le désert. Un autre des monuments de 'Abedi, dont la réalisation demanda deux années, se trouve dans le village de Sikhnin. Avec la collaboration du sculpteur israélien Gershon Knispel, il créa un mémorial en bronze. Celui-ci représente une masse horizontale de figures masculines écrasées en un tas. Les détails géométrisés de leurs corps sont interchangeables avec les dalles de pierre qui les relient, faisant de la représentation de la chair humaine et de la terre une métaphore de cette relation. Dédié aux six Palestiniens tués par balle le Jour de la terre au printemps de 1976, ce bloc massif de corps et de pierres déchiquetées flotte au-dessus du niveau des yeux, permettant au spectateur d'embrasser du regard le paysage villageois au loin.

Walid Abu Shakra fit en revanche du paysage de son pays son obsession centrale. Né à Oum al-Fahm, il étudia la gravure à Tel-Aviv et à Londres. Abordant la gravure de manière traditionnelle, il fit des paysages magistraux qui transforment les détails pastoraux en images transportables de la narration palestinienne. À travers les détails de ses oeuvres, on peut explorer la signification d'un lieu telle que le perçoit un villageois natif. Dans ces paysages, chaque spécificité est personnifiée. Les noms de lieu arabes donnés à des estampes représentant un groupe d'arbres, une clairière ou un tas de pierres font écho à la relation intime du villageois avec les éléments simples qui constituent le paysage ancestral. L'intimité est encore exacerbée par l'absence complète de figures humaines dans le paysage d'Abu Shakra. Ici on voit un olivier déraciné gisant au soleil, là un champ fraîchement labouré au clair de lune. Voir des traces humaines mais non ceux qui les ont laissées, c'est pour le villageois une façon de dire qu'on ne regarde pas n'importe quel paysage, mais un lieu très particulier. La clef du lieu d'Abu Shakra est le figuier de barbarie, qui occupe une place prédominante dans son œuvre. Depuis une époque immémoriale, les paysans palestiniens le plantent pour marquer les limites des villages. Aujourd'hui, les figuiers plantés par les ancêtres d'Abu Shakra continuent de pousser là où des centaines de villages palestiniens ont été supprimés pour laisser la place à un kibboutz israélien, à un parc ou à une route. Dans ses estampes, Abu Shakra grave des images du cactus qui refuse de céder. Parfois, on aperçoit au premier plan des buissons, des ronces et des fleurs sauvages qui poussent dans les fissures de bâtiments autrefois habités. En décodant les paysages menaçants d'Abu Shakra, on retrace les étapes de la dépossession d'un peuple et on voit les métaphores de leur relation toujours proche avec les spécifités de leur pays.

VIII. Arpenter la distance

L'art palestinien produit à proximité géographique de la patrie est copieusement imprégné de références culturelles et de codes empruntés aux sources narratives, et reflète, de diverses manières, une relation étroite avec la terre. Cependant, l'art produit en exil formule des questions esthétiques émanant de la distance de l'artiste par rapport à son pays. Au fil des décennies, l'expression figurative confinée à la forme picturale pourrait avoir dominé les principaux courants artistiques créés dans la région. En revanche, l'art des exilés tendait à être plus expérimental, soulignant souvent les qualités tactiles, et l'abstraction géométrique était sa caractéristique majeure. On trouve des artistes palestiniens en exil sur quatre continents. Certains parvinrent dans leur pays de résidence comme réfugiés de la guerre de 1948, d'autres de la guerre de 1967, quelques-uns du fait de l'état de guerre continuel dans la région. Lydia Atta fut l'une des premières à émigrer et fut la seule à s'établir en Australie, tandis que John Mattar fut le seul à émigrer au Canada. Au cours des quelques dernières décennies, un nombre croissant d'artistes se sont établis en Europe, dont Jumana El Husseini (*1932), Dhaher Zidani (*1937), Maliheh Afnan (*1939), Laila Shawa (*1940), Suzan Hijab (*1942), Nasser Soumi (*1948), Mona Hatoum (*1952), Nabil Shehadeh (*1955) et Osama Sa'id (*1957). Parmi les artistes qui se sont installés aux États-Unis, citons Samia Halaby (*1936), Nabila Hilmi (*1940), Sari Khoury (*1941), Munira Nusseibeh (*1942) et Kamal Boullata (*1942). Vladimir Tamari (*1942) et 'Abed Younes (*1948) se sont quant à eux établis au Japon. Les œuvres de Husseini, Soumi et Hatoum représentent trois cas différents, où l'expérimentation dans l'expression de soi est devenue la constante de l'artiste. À l'opposé, les œuvres de quatre artistes de Jérusalem, Tamari, Halaby, Khoury et Boullata, illustrent l'évolution de l'abstraction géométrique dans quatre directions différentes.

Avant de s'établir à Paris, l'autodidacte **Jumana El Husseini** fit une carrière de plus de vingt ans marquée par un style distinctif. Ses tableaux, produits à Beyrouth avant que la guerre civile n'y éclate, transfigurent le souvenir de sa Jérusalem natale en une rêverie d'enfance visuelle dans laquelle une ville entourée de murs et stylisée, vêtue de blanc nuptial, qui se dresse haut avec des coupoles dorées et des portes cloutées, entourée de beffrois et de minarets. Ses motifs ornés étaient conçus avec toute l'attention au détail de ces femmes anonymes qui préservaient la tradition de la broderie palestinienne. Laborieusement composées de couleurs non saturées et de feuille d'or, les toiles unidimensionnelles d'El Husseini rendent hommage à des paysages urbains disséminés sur des miniatures médiévales. Depuis qu'elle s'est établie à Paris au milieu des années quatre-vingt, elle a échangé ses fines couches de couleur appliquées proprement contre un épais empâtement de peinture mélangée à du sable. De grandes aires de couleur appliquée au couteau ont succédé à ses surfaces polies antérieures. La représentation de la ville de rêve d'El Husseini a cédé la place à un désert nocturne parfois percé d'un rayon de lumière.

Nasser Soumi, qui précéda Husseini à Paris d'une dizaine d'années, fit des études qui accentuèrent son penchant pour l'expérimentation, lequel finit par le conduire au-delà des confins de l'espace pictural. Né dans le village de Sailet il-Dhahr, Soumi compose son art d'objets trouvés. Son œuvre se complaît aux assemblages éclectiques combinant des objets naturels avec des articles faits à la main. Des cordes de chanvre relient proprement des galets et des os à des morceaux raffinés de bois. De vieilles hélices, méticuleusement polies, sont entourées d'une ficelle suspendue à une baguette. Vieillis par les vagues, ou érodés par le sable et le vent, les objets soigneusement choisis font allusion au temps qui passe. Ses accents de bleu indigo évoquant la Méditerranée font qu'il se dégage, du calme de ses assemblages, une impression de navigation et de mouvement nomade vers un endroit éloigné. Les assemblages de petite taille rappellent des amulettes bédouines ou des talismans paysans. Les assemblages plus grands évoquent des métiers à filer ou des instruments à cordes d'une époque révolue. Malgré la juxtaposition d'objets, les somptueuses courbes, les surfaces planes ou renflées de Soumi semblent implorer qu'on les touche. Alors que la forme peut évoquer pour les yeux un temps et un espace

différents, l'irrésistible tentation de toucher ses surfaces sensibilise le spectateur à une distance qui a besoin d'être brisée et lui en fait prendre conscience – distance qui n'est pas sans ressembler à celle qui sépare l'artiste enjoué d'un jouet qu'il pourrait avoir inventé dans son pays lointain.

L'artiste palestinien dont l'œuvre expérimentale exprime de la manière la plus dramatique l'épreuve de la distance en exil est **Mona Hatoum**, qui vit à Londres. Née à Beyrouth de parents qui avaient fui Jaffa, Hatoum a transposé ses propres expériences de la distance en un langage esthétique qui envahit souvent l'espace de son spectateur. Depuis qu'elle a fini ses études à Londres, elle a présenté des performances, réalisé des vidéos, construit des sculptures interactives et monté des installations rythmées par le temps. Dans chacune de ses œuvres, elle conteste la distance supposée entre l'intime et le public, le privé et le politique et, ce faisant, redéfinit la distance entre l'artiste et l'objet artistique, entre l'objet artistique et le spectateur.

Under Siege, l'une des premières performances de Hatoum, fut monté à Londres au moment du siège de Beyrouth, après qu'Israël eut envahi le Liban en 1982. Le corps nu de Hatoum, couvert d'argile et emprisonné dans un cube transparent, luttait pour se relever, uniquement pour glisser et retomber sans cesse dans la boue. L'action durait sept heures consécutives. La métaphore illustrée par la grande endurance physique de Hatoum était encore intensifiée par le contraste entre son agitation incessante et les sons passifs de soudains claquements entendus simultanément avec l'enregistrement d'un chant sourd noyé par des bavardages en différentes langues. Sa vidéo *Measures of Distance* montre un gros-plan de la mère de Hatoum qui prend une douche. L'image granulée est vue à travers les lignes manuscrites d'une lettre que la mère a envoyée à sa fille. À travers le ruissellement d'eau chaude, on entend une conversation entre les deux, interrompue par la voix de l'artiste qui traduit en anglais des fragments de leur échange. À un moment, la mère explique que sa susceptibilité, lorsque Mona grandissait à Beyrouth, n'était due qu'à son sentiment de désolation et à son impression d'être sans racines loin de son pays natal. L'écriture arabe qui traverse l'image comme des fils de fer barbelés marque la séparation entre mère et fille comme entre mère et patrie. L'intimité de l'image et de la conversation relie toutefois la distance pour révéler la profonde identification de Hatoum avec le corps de sa mère et l'exil. Dans *Some Body*, l'une de ses installations plus récentes, des images vidéo de l'intérieur du corps de Hatoum, prise par une sonde médicale, sont au centre de l'œuvre. En le faisant entrer dans une cellule cylindrique, l'espace restreint permet au spectateur de marcher autour ou par-dessus les images mobiles projetées par terre. L'objectif vidéo médical qui plonge à travers les crevasses du corps, pénétrant dans ses tunnels et cavités viscéraux, avec une proximité claustrophobe, inverse le corps de l'artiste pour le regard du spectateur. Des haut-parleurs cachés amplifient les battements et les bruits sourds de ces inaccessibles organes au travail. La séparation et l'identification avec les sons d'images sur le sol annulent toute distance entre le corps du spectateur emmuré et le monde interne de Hatoum.

À l'autre bout du monde, **Vladimir Tamari** exprima cette problématique de la distance d'une manière plus solitaire, qui assuma une originalité rebelle tout à fait personnelle. Né à Jérusalem, Tamari étudia les beaux-arts et la physique à Beyrouth et à Londres, et partit pour Tokyo après la guerre de 1967. Tout au long des années où la vieille ville de Jérusalem était encore sous contrôle jordanien, Tamari avait pour obsession de peindre la campagne autour de sa ville. Avec un matériel portable, il exécuta fébrilement des centaines de pastels et d'aquarelles en plein air. Malgré la fraîcheur et la vitalité avec laquelle ces paysages étaient toujours magistralement rendus, Tamari était mécontent de son œuvre. Pour lui, l'illusion spatiale mise au point dans l'art pictural européen ne rendait pas la distance que percevait son regard sous le ciel de Jérusalem. Sa passion pour la peinture d'après nature devint indissociable de ses inlassables recherches sur l'optique. Plus il peignait habilement d'après nature, plus il était profondément immergé dans sa quête d'un instrument à dessiner qui nous permette de voir une ligne tracée au crayon comme un fil de fer suspendu en plein air. Quinze ans plus tard,

lorsqu'il acheva le prototype de son invention, Tamari était à Tokyo. La distance qui séparait les deux côtés de la Jérusalem où il avait grandi était maintenant incomparable avec celle qui le séparait de sa ville natale. L'instrument de dessin tridimensionnel était désormais réservé aux dessins colorés qu'il faisait en privé ; ses aquarelles et ses pastels devenaient peu à peu plus abstraits. Avec un fond couvert de lavis de couleur, des formes appliquées en transparences brillantes s'écoulent l'une dans l'autre. Des fragments de formes géométriques sont superposées dans des groupements arbitraires qui rappellent les motifs dessinés par des murs qui s'effondrent. Des couleurs prismatiques qui s'infiltrent à travers des formes anguleuses brillent avec toute l'incandescence de vitraux. Des aires opaques baignant dans une étendue de ciel hivernal sont retouchées avec des coups de pinceau légers, rappelant la manière dont les peintres d'icônes byzantins stylisaient les carnations et les plis des draperies. Ses abstractions renvoyant à des paysages ont souvent une composition cruciforme. Les composantes verticales et horizontales s'écoulent dans le monde l'une de l'autre. Parfois, l'intersection ponctue la rupture entre les côtés opposés de sa composition ; à d'autres moments, elle aide ses formes fluides à se rencontrer dans ce qui ressemble à une flaque de lumière, ou des taches de quelque ancienne blessure. Les titres de Tamari ne manquent jamais d'évoquer le symbole emblématique du Golgotha en tant que référence personnelle à sa ville natale lointaine.

À New York, l'expression de la distance était également une question centrale dans le langage pictural d'une autre artiste née elle aussi à Jérusalem, **Samia Halaby**. Elle succéda à deux éminents peintres de sa famille et s'attacha, au cours des trois dernières décennies, à scruter les aspects fuyants de l'espace. Au côté de sa peinture abstraite, elle a récemment commencé à utiliser l'ordinateur comme un moyen pictural supplémentaire pour poursuivre son exploration. Dans ses premières œuvres abstraites, Halaby aborde l'illusion de l'ambiguïté spatiale. Des hélices cycliques sont peintes en gradations fractionnelles de couleurs monochromatiques. Avec une précision infaillible, les formes entre-tissées ressemblent aux reflets changeants de surfaces métalliques. Un jeu visuellement ambigu est créé, avec des aires de lumière et d'ombre représentant des profondeurs concaves et convexes qui requièrent simultanément une attention égale. L'illusion de distance est ainsi brouillée, avec premier plan et arrière-plan qui deviennent interchangeables. De ces images faisant allusion à des surfaces métalliques observées de près, Halaby passa à des tableaux évoquant la perception de l'espace extérieur. Divisé en deux moitiés diagonales opposées, chaque tableau est composé de bandes répétées et nettes de couleurs très proches. Alors que le groupe de couleurs dégradées d'une moitié s'alignent en bandes d'une aube sublime, leurs précises ondulations transitionnelles se noient en fin de compte dans la coupe inclinée de l'obscurité de plus en plus profonde. L'illusion de distance énigmatique ainsi créée permet à la vision du ciel de Halaby de révéler un abîme insondable.

Halaby aborda ensuite les dimensions planes de la distance irréductible. L'une des séries laisse deviner des formes géométriques changantes. Les couches accumulées de coups de pinceau, laissant des traces de pigment et des contours, évoquent le temps de transition pendant lequel les quadrilatères changeants de la composition se figent. Partant de la cristallisation du mouvement superficiel, Halaby fut incitée à expérimenter avec d'autres conséquences du temps. Ainsi le mouvement, en tant que geste entre deux points dans le temps, devint une composante centrale dans ses tableaux à texture plus marquée, et par la suite l'art informatique de Halaby commença à se déployer. Dans ses tableaux, dont certains s'étendaient sur sept mètres, les coups de pinceaux tourbillonnants éclataient avec une vigueur telle que les points de vue séparés dans l'espace chassent toute référence à la profondeur pour diverger ou converger sur sa vaste surface. En outre, Halaby programma des tableaux cinétiques informatisés qui étaient exécutés avec une musique vivante; une simple ligne s'y transformait en un chemin en mouvement, et l'élaboration de formes colorées était vue simultanément avec le rythme de fréquences sonores. Si ses toiles à l'huile et à l'acrylique proclamant le mouvement correspondaient à une intériorisation de l'espace, l'écran

lumineux reflétait le processus par lequel était parcourue la distance inversée de Halaby.

Plus loin de New York, un autre artiste né à Jérusalem travaillait assidûment dans l'isolement d'East Lansing, dans le Michigan. Comme Halaby avant lui, qui était arrivée avec sa famille peu de temps après la chute de la Palestine, **Sari Khoury** débarqua aux États-Unis alors qu'il était encore adolescent. Imprégné de deux cultures, l'une héritée, l'autre adoptée, le jeune immigré prit conscience en grandissant de ses deux mondes. Alors que cette simultanéité conduisit Halaby à des abstractions qui sont l'expression d'espaces interchangeables et d'une distance irréductible, la sensibilité de Khoury à sa position médiane l'incitèrent à développer un langage esthétique qui exprime l'état spatial de celui qui est entre deux mondes, état où toutes les formes sont façonnées par un perpétuel courant de discontinuités. Dans une série d'acryliques qu'il exécuta à l'aérographe, Khoury créa des champs de couleur translucides où chaque élément semble suspendu dans un vide éthéré. Des formes géométriques qui se chevauchent flottent dans une distance sans substance, où la gravité perd sa fonction et les illusions de profondeur sont constamment précaires. Tantôt le vide prend l'allure froide de bleus métalliques, tantôt le chaleur du sable et du safran. Les bords tranchants de ses formes flottantes coupent le vide spatial, avec des lignes lumineuses ou des brins courbes qui se cassent soudain au milieu de l'air. Dans certaines œuvres, les formes anguleuses tournées vers l'extérieur sont capturées avant qu'elles n'aient complètement glissé en dehors des marges de l'œuvre; dans d'autres, elles sont figées au moment où elles sont attirées, aléatoirement, vers le vide. Souvent, des nuances transparentes entourant les bords indiquent, par leur inclinaison, les traces du déplacement d'une forme. Dans cette profondeur illusoire prise dans des ruptures franches et des instabilités tentantes, tout mouvement semble entravé, car toute idée de temps ne semble qu'une perturbation d'un ordre des choses antérieur. Ici, la distance est souvent rendue par des références évoquant un site entre espace intérieur et extérieur. Les fragments d'une porte, un battant de fenêtre, une lucarne, quelque horizon intercepté par une aile, un cerf-volant, une voile à la dérive. Chaque forme abstraite se joint à une danse d'interludes allégoriques visuels qui oscillent entre des notions de captivité et de délivrance.

L'œuvre de Khoury ne cesse de franchir les frontières entre formes géométriques à bords francs et formes amorphes définies sans rigueur. Dans ses abstractions ultérieures, ses éléments se fondirent de plus en plus en un équilibre spontané qui préserve des allusions aux formes familières. Des formes semblent parfois apparaître, à travers des coups de pinceau marqués, uniquement pour se dissoudre dans un champ insaisissable de configurations agitées. Ainsi, une forme ressemblant à une aile qui bat se transforme en un pétale ou une flamme qui converge en une vague, dans une arabesque aérienne de formes volatiles. Ces demi-illusions prennent une dimension métaphorique, car Khoury, pris entre ses deux mondes, navigue sans relâche à travers cet espace fuyant pour saisir la poésie de la forme pure.

À la différence de Halaby et de Khoury, qui étaient adolescents en arrivant aux États-Unis, **Kamal Boullata** n'y vint qu'après avoir achevé ses études à Rome, au lendemain de la guerre de 1967. Né à Jérusalem, Boullata a grandi dans une maison ornée d'icônes byzantines, ce qui pourrait les avoir prédisposés tous trois à un penchant pour un mode contemplatif dans l'expression abstraite. Ayant en outre fait un apprentissage auprès du peintre d'icônes Khalil Halaby, Boullata fut attiré dès son plus jeune âge par un langage pictural fondé sur le principe selon lequel le contenu engendre la forme. Avec la distance que Boullata gardait par rapport à son nouvel environnement, cette conception façonna le cours de son évolution. De l'expression figurative aux abstractions géométriques, son œuvre chercha progressivement à intégrer les sensibilités visuelles de ces deux mondes. Les premières œuvres qu'il exécuta à Washington étaient peintes sur papier avec des médias mixtes et des encres de couleur. Souvent dorées à la feuille, les images mêlaient des figures stylisées à des bandes d'écriture arabe. Des figures inspirées d'images scripturales côtoyaient des êtres mythiques. Dans le monde de Boullata, Noé et Jonas, Marie et Véronique, Élie et

Jérémie marchent sur terre avec le centaure, et la licorne avec *al-buraq*, le cheval ailé du prophète arabe. Les figures qu'il réinvente deviennent une réincarnation métaphorique d'images verbales. Des passages appropriés en arabe, empruntés à des sources judaïques, chrétiennes ou islamiques ainsi qu'à la poésie contemporaine, notés avec une fougue enfantine, sont le prolongement graphique qui permet de lire les allégories de l'artiste. De simples prétextes pour sa figuration, les mots arabes devinrent ensuite l'unique sujet de son image.

Dans une série de sérigraphies, des incantations soufi, des versets bibliques et des expressions quotidiennes forment une composition fondée sur les principes de l'écriture coufique. Des lettres à bord franc y dessinent des chemins de couleur qui se coupent à angle droit. La largeur des lettres étant interchangeable avec le fond, les répétitions et les images en miroir de mots créent des formules rythmiques et des labyrinthes de couleurs fluctuantes. Suivant des voies droites et obliques entre le vert émeraude et le turquoise, le lavande et le bleu nuit, des mandalas arabes se révèlent à travers les gradations de ton. Le décodage des caractères arabes devient ainsi indissociable de la perception sensorielle de la couleur. L'intérêt de Boullata pour la couleur s'intensifia lorsqu'il commença à explorer le carré, l'unité engendrant son écriture géométrique. Les abstractions *hard-edge* à l'acrylique qui suivirent, dans des séries successives, sont conçues en fonction d'une suite de relations structurées fondées sur la fragmentation graduelle du carré. Des nuances de couleur dans des gradations relatives reflètent la désintégration du quadrilatère. Le passage entre mutations de couleur se traduit par des couches diluées de glacis de couleur ou des transparences contiguës aux bords tranchants. Dans un processus de dédoublement, de superposition, de rotation et de division diagonale du carré, dans des permutations proportionnées, les symétries de forme sont brisées sur des horizons ardents. L'œuvre de Boullata montre comment le carré, qui représentait autrefois les quatre orientations principales, pourrait être scindé en côtés opposés, divisé en fragments infinis, pour devenir entier et indivisible à travers le mystère de l'incarnation en couleurs de la lumière.

IX. Continuités

De l'école de Jérusalem de peintres d'icônes aux peintres de Jérusalem en exil, les œuvres d'art palestiniennes révèlent un ensemble de liens qui les rattachent les unes aux autres tout au long du siècle. D'une génération à l'autre, le legs artistique s'est transmis malgré le tumulte des séparations et des discontinuités, au moyen des expériences communes de la réalité palestinienne. En dépit de la distance, des images disséminées se rappelaient l'une l'autre, même si les codes de chaque langage artistique étaient forgés en un lieu différent.

Les Palestiniens, devenus étrangers chez eux ou réfugiés dans les pays voisins, sont tous parvenus à des destinées différentes de ceux qui sont entrés en exil. Le langage artistique a donc été élaboré en fonction du lieu où vivait l'artiste. Le langage figuratif investi de codes culturels était ainsi généralement utilisé par des artistes qui trouvaient leur souffle dans leur proximité avec leur patrie, où le traumatisme du génocide culturel mené contre l'identité collective était et reste une expérience quotidienne. Par contraste, le langage abstrait façonné loin de la terre natale était issu de la géométrie, dont l'étymologie grecque signifie « mesure de la terre ». Dans chaque cas, le langage visuel, reflétant une perspective opposée, révélait l'autre dimension de la réalité palestinienne. De même, les images palestiniennes créées non seulement en différents lieux mais sur de longues périodes se rencontraient de manière corrélative, même si les chemins des artistes ne se croisaient jamais. Issue des expériences communes, l'imagerie vernaculaire élaborée dans les années quatre-vingt par Ghabin dans le camp de réfugiés de Gaza complétait les peintures narratives commencées dans les années cinquante par Ghannam dans le camp de réfugiés de Beyrouth. En outre, les tableaux hantés par la guerre que Badran peignit à Ramallah et à Barcelone continuaient de révéler l'autre facette du monde imaginaire que Seraphim avait saisi trente ans plus tôt à Beyrouth et à Florence. De même, les métaphores des rêveries d'enfance de Barakat conçues dans la réalité abominable du camp de réfugiés de Gaza reflétaient celles que sous-entendait l'imagerie pastorale évoquée par Hazima dans la ville sans soleil

de Leipzig. Et de même que l'iconographie imaginée par Mansour à Jérusalem transcendait celle conçue par Shammout au Koweit, les abstractions de Guiragossian à Beyrouth préfiguraient les icônes personnelles que Tamari créa des années plus tard à Tokyo.

Un grand nombre d'œuvres de la génération de pionniers avant la chute de la Palestine sont à jamais perdues, mais leur héritage survit dans les œuvres d'artistes individuels de la génération suivante. Avec la défiguration de la patrie palestinienne, les particularités propres à l'environnement autochtone prirent une signification nouvelle dans le travail d'artistes plus jeunes. À travers la régénération de codes, l'art produit à tous les stades continuait de faire le lien avec le corpus d'œuvres perdues. Le cactus indigène, que plusieurs artistes palestiniens prirent pour sujet, est peut-être ce qui illustre le mieux ce point.

Avant la chute de la Palestine, lorsque Sayigh, suivi trente ans plus tard par al-Sa'di, représenta le cactus, ils y voyaient tous deux le fruit sauvage apprécié par leurs compatriotes palestiniens. En plaçant le fruit dans leur nature morte, les artistes affirmaient leur volonté de naturaliser ce genre artistique importé. Walid Abu Shakra, en revanche, qui vit croître le figuier de barbarie à la place de villages ancestraux, choisit de ne pas représenter seulement le fruit, mais la plante tout entière dans son environnement naturel. Le paysage du graveur, avec ses connotations, transformait la plante indigène en une métaphore de la continuité de la vie après la mort. Pour le jeune **'Asim Abu Shakra**, qui était destiné à vivre avec la métaphore de son cousin et avec la réalité de sa propre mort, le cactus ne pouvait être vu que dans le contexte du temps qu'il lui restait à vivre. En le plaçant dans un pot chez lui, Abu Shakra transforma la métaphore nationale en une icône personnelle de la vie après la mort. À travers cette passion profonde avec laquelle il peignit sans cesse son cactus transportable, 'Asim Abu Shakra entra en contact avec l'héritage des plus anciens peintres d'icônes du pays.

Dans les deux dernières années de sa brève vie, grâce à son travail obsessionnel sur le thème du cactus, 'Asim Abu Shakra fit halte à un certain nombre de jalons importants qui marquaient le cours de l'art palestinien. Les images de ses cahiers d'esquisses, ainsi que ses huiles sur papier, témoignent de sa recherche embryonnaire sur les thèmes chrétiens de la mort au côté de son travail rigoureux sur son thème de prédilection. Si d'autres artistes palestiniens pourraient avoir fait allusion à des images issues de la poésie palestinienne contemporaine, la quête d'Abu Shakra d'images de la Passion du Christ fait écho à un thème majeur intrinsèque à l'imagerie de la poésie nationale. Les poètes palestiniens, qu'ils soient musulmans comme Abu Shakra, chrétiens ou druzes, empruntaient souvent leurs métaphores à la Passion, pour exprimer la nature de la souffrance des Palestiniens et pour indiquer leur affinité avec un récit qui appartient à leur pays de naissance. Les études de 'Asim Abu Shakra sur le thème de la crucifixion et de la pietà étaient ses propres images de la jeunesse anéantie et des mères palestiniennes esseulées. C'est ainsi que la plante épineuse qui blesse les mains se transforma en une icône où fleurit la vie.

Si le peintre d'icônes Sayigh fut attiré vers la peinture de chevalet par l'image de la chair succulente du fruit, Abu Shakra entra dans l'iconographie chrétienne de Sayigh à travers les épines de sa plante en pot. Aujourd'hui, autour de la plante indigène devenue le symbole de l'endurance des Palestiniens, on peut tracer un cercle complet qui relie le premier peintre d'icônes palestinien au début du siècle à l'un des plus jeunes talents qui aient émergé à la fin du siècle.

Pour conclure, il faut reconnaître que ce survol exploratoire de l'art palestinien ne prétend couvrir qu'un nombre limité de représentants, dont l'œuvre, à un lieu et à un moment donnés, a ressuscité, du chaos de la vie palestinienne, une certaine image de la réalité palestinienne. Il faut par conséquent s'attendre à ce que les œuvres d'artistes abordés dans le cadre de cette étude puissent un jour sombrer dans l'oubli, et que d'autres artistes dont il n'a pas été question émergent à l'avenir. Il va sans dire en outre que les instabilités et le constant mouvement caractéristiques de la vie des Palestiniens ont prédisposé les artistes à de constantes expérimentations. Au moment où l'on lira ce texte, il est probable que certains artistes cités ici seront partis ailleurs, auront adopté un autre médium ou pratiqué un nouveau style, ou seront passés à un autre art. C'est ainsi que se façonne le langage des migrants et des hybrides dans le monde actuel, où l'acte créatif est voué à devenir la demeure ultime de l'artiste. On voit déjà les signes de cette transformation dans les talents anonymes qui germent aujourd'hui et se feront connaître demain. Entre-temps, l'intégrité collective de l'art palestinien, tel qu'il a été décrit jusqu'ici, n'a jamais été vue sous un seul toit, et son histoire complète reste encore à écrire.

Bibliographie sélective

1. L'école de Jérusalem de peinture d'icônes :

AGÉMIAN, Sylvia

« Les Icones Melkites », in *Icônes : Greques, Melkites, Russes* (collection Abou Adal), éd. Virgil Candea (et al.), Éditions Skira, Genève, 1993, pp. 169-285.

« Introduction à l'étude des icônes Melkites », in *Icônes Melkites*, éd. Virgil Candea et Sylvia Agémian, musée Nicolas Sursock, Beyrouth, 1969. pp. 95-126.

ZIBAWI, Mahmoud

L'icône, sens et histoire, Desclée de Brouwer, Paris, 1993.

2. L'art des colons juifs en Palestine avant 1948 :

NEWMAN, Elias

Art in Palestine, Siebel Co. Publishers, New York, 1939.

SHILO-COHEN, Nurit, sous la direction de Bezalel :

1906-1929, The Israel Museum, Jérusalem, 1983.

SCHEPS, Marc, YAGID, Meira, GINTON, Ellen (éds.)

The Twenties in Israeli Art, The Tel Aviv Museum, Tel-Aviv, 1982.

3. Ouvrages généraux :

BOULLATA, Kamal

« Palestinian Art », in *Encyclopedia of the Palestinians*, sous la direction de Philip Mattar, McMillan, New York (à paraître en 1997).

« Al-Fan al-Tishkili al-Filastini Khilal Nisf Qarn : 1935-1985 » (Un demi-siècle de peinture palestinienne : 1935-1985), in *Al-Mawsu 'a al-Filastiniyya* (Encyclopaedia Palestinae), vol. IV, Damas-Beyrouth, 1989, pp. 869-930.

« Facing the Forest : Israeli and Palestinian Artists », *Third Text*, n° 7, été 1989, pp. 77-95.

KHALIDI, Walid

All That Remains : The Palestinian Villages Occupied and Depopulated by Israel in 1948, Institute for Palestine Studies, Washington D.C., 1992.

SHAMMOUT, Isma'il

Al-Fan al-Tishkili Fi Filastin (Art en Palestine), al-Qabas Printers, Koweit, 1989.

SLYOMOVICS, Susan

« Discourses on the pre-1948 Palestinian Villages : The Case of Ein Hod / Ein Houd », in *Discourse and Palestine : Power, Text and Context*, sous la direction de A. Moors, T. van Teefelen, S. Kanaana et I. Abu Ghazaleh, Het Spinhuis, Amsterdam, 1995, pp. 41-54.

ZARU, T. Samia

« Palestine », in *Contemporary Art from the Islamic World*, sous la direction de Wijdan 'Ali, Scorpion Publishing Co., Londres, 1989, pp. 235-244.

4. Artistes palestiniens dans le monde arabe :

'ALI, Wijdan

Al-Fan al-Mu 'asir fi-l-Urdun (Art contemorain en Jordanie), Royal Fine Arts Society, Amman, 1997.

« Modern Arab Art an Overview : Palestine », in *Forces of Change : Women Artists of the Arab World*, par Salwa M. Nashashibi, The National Museum of Women in the Arts, Washington D.C., 1994, pp. 104-108.

HIWAR

« Al-Fannanun al-Lubnaniyyun Yatahaddathun 'An Fannihem » (Des artistes libanais parlent de leur art), *Hiwar* 26/27, vol. 5 (mars-avril), n°s 2-3, Beyrouth, 1967.

TARRAB, Joseph

Paul Guiragossian, Éditions Emmagoss, Beyrouth, 1982.

5. Artistes de Gaza et de Cisjordanie :

'ANANI, Nabil et BADR, Isam

Al-Fan al-Tishkili al-Filastini fi al-Ard al-Muhtalla (Art palestinien en pays occupé), Gallery 79, Ramallah, 1984.

BOULLATA, Kamal

« Palestinian Expression Inside a Cultural Ghetto », *Middle East Report*, n° 159, juillet-août 1989, pp. 24-28.

MURPHY, Jay

« The Intifadah and the Work of Palestinian Artists », *Third Text*, 11, été 1990, pp. 122-130.

SILLEM, Maurits

« Opening and Closure : Gallery 79 and the Occupied Territories of the West Bank and Gaza Strip », *Tales of the Unexpected*, Royal College of Art, Londres, pp. 47-50.

TAMARI, Vera & JOHNSON, Penny

« Loss and Vision : Representations of Women, in Palestinian Art Under Occupation », in *Discourse and Palestine : Power, Text and Context*, sous la direction de A. Moors, T. van Teefelen, S. Kanaana et I. Abu Ghazaleh, Het Spinhuis, Amsterdam, 1995, pp. 163-172.

6. Artistes de Galilée et du Triangle :

'ABEDI, 'Abed

« Ma'alem Tatawwor al-Fan al-Tishkili al-Filastini fi-l-Bilad : 1948-1988 » (Jalons dans le dévloppement des beaux-arts dans le pays : 1948-1988), in *Filistiniyyun* (Palestiniens), sous la direction de Khalid Khalifeh, Dar al-Mashreq, Shafa 'Amr, 1988, pp. 205-216.

GINTON, Ellen

'Asim Abu Shakra, Tel Aviv Museum of Art, Tel-Aviv, 1994.

7. Art palestinien en exil :

BOULLATA, Kamal

« The View from No-Man's-Land », *Michigan Quarterly Review*, automne 1992, pp. 578-590.

BURNHAM, M. Anne

« Three from Jerusalem », *Aramco World*, juillet-août, 1990, pp. 15-21.

HALABY, Samia

« Reflecting Reality, in Abstract Picturing », *Leonardo*, 1987, vol. 20, n° 3, pp. 241-246.

TAMARI, Vladimir

« Al-Rasm Bi-l Ab'ad al-Thalatha » (Dessin en trois dimensions), *Mawaqif*, n° 8, 1971, pp. 19-50.

VAN ASSCHE, Christine

Mona Hatoum, Centre G. Pompidou, Paris, 1994.

8. Art d'enfants palestiniens :

BOULLATA, Kamal

Faithful Witnesses : Palestinian Children Recreate their World (Témoins fidèles : des enfants palestiniens recréent leur monde) en arabe, anglais, français, introduction de John Berger, Olive Branch Press, New York, 1990.

SAUDI, Mona

Shahadat al-Atfal Fi Zaman al-Harb (En temps de guerre : des enfants témoignent) en arabe et anglais, Mawaqif, Beyrouth, 1970.

Tayseer Barakat

Né à Gaza, au camp de Jabalia, en 1959.
Diplômé du Collège des beaux-arts d'Alexandrie
en 1983, il enseigne à l'école U.N.R.W.A. à Gaza
de 1986 à 1992.
En 1987 il est membre fondateur du groupe
d'artistes « New Vision », puis, en 1989, fondateur
du centre Al-Wasiti à Jérusalem. Il intègre le comité
de la Ligue des artistes palestiniens en 1990 et,
depuis 1992, il enseigne au collège de Ramallah.
Il a participé à toutes les expositions de la Ligue
des artistes palestiniens depuis 1984.
Tayseer Barakat vit et travaille à Ramallah.

Principales expositions personnelles
1984 Deir Ghassana (Cisjordanie)
      Al-Hakawati Theater Hall, Jérusalem,
1985 Jérusalem, Birzeit, Nazareth, Kufr Yassef
1986 Al-Hakawati Theatre Hall, Jérusalem
      Rome, Naples, Venise, Bologne (Italie)
1992 Galerie Anadiel, Jérusalem
1994 Galerie Anadiel, Jérusalem

Expositions du groupe « New Vision »
1987 Al-Hakawati Theatre Hall, Jérusalem
1989 Al-Hakawati Theatre Hall, Jérusalem
1990 Musée national de Jordanie, Amman
      Musée de la ville de Naples, Naples (Italie)
      Festival d'Asilah, Maroc
1991 New Vision Touring Exhibition, Jérusalem,
      Bethléem, Naplouse, Gaza, Ramallah
1992 Musée de Kiev, Bonn

Principales expositions collectives
Down with occupation, Tel Aviv,
Jérusalem, Haifa, Nazareth
Two states for Two Nations - Al-Hakawati
Theatre Hall, Artists House, Jérusalem
1988 *It's Possible*, Cooper Union, New York,
      Washington D.C., Chicago, ainsi qu'au
      Japon et en Allemagne
1990 *South of the World*, Rome
      La Laiterie, Strasbourg et en Allemagne
1991 Musée de la ville de Naples (Italie)
1993 Musée de la ville de Madrid
1994 *Rencontres Méditerranéennes*, Nantes
      (France)
      International Centre, Washington D.C.
      Biennale Internationale, Sharjah (E.A.U.)
      Exposition collective pour les Artistes
      palestiniens aux Nations unies, New York
1995 Exposition collective à la municipalité
      de Bruxelles
      In Solidarity with Jerusalem, Sharjah (E.A.U.)

Sans titre
Huile et brûlure sur bois
80 x 50 x 12 cm

Tayseer Barakat

43

Sans titre
Huile et brûlure sur bois
110 x 60 x 40 cm

Tayseer Barakat   45

L'œuvre de Tayseer Barakat

Tayseer Barakat est un artiste possédé par le symbole originel qui s'est déployé en un ensemble infini de signes : dans ses œuvres de formes multiples allant du tableau à l'installation. Avec grande aspiration, Tayseer Barakat appelle la divinité des temps anciens de cette terre qui garde le prestige de son histoire… des premiers Cananéens jusqu'au dernier des enfants nés dans le camp de Jabalia sur la côte est de la Méditerranée. Tayseer, lui-même natif de cette région, creuse profondément dans la mémoire du lieu et de son rite éternel, d'abord dans la géographie de sa maison puis dans celle de l'Océan. On dirait que c'est lui qui dit : «Sais-tu père ce qui m'est arrivé / La mer ne peut fermer aucune porte derrière moi / Nul miroir à casser pour que s'étende devant moi, le chemin où se déploie des visions»

Il est habité alors par « l'ego » et le questionnement à propos de la magie et de l'étonnement… ceci depuis la première barque perdue à la surface de l'eau, chargée des ambiguïtés de ses heures sur la côte de Gaza – l'aventure de l'artiste est une chasse anonyme comme celle des pêcheurs phéniciens qui, tout en courant la mer, embrassent leurs pairs sur la terre ferme. Cette image glorieuse d'un passé lointain est manifeste dans les travaux de Tayseer, comme si ses réponses modernes puisaient dans l'histoire tout en l'enrichissant.

Dans sa tentative pour expliquer l'inconnu, Tayseer s'éloigne du vécu et de l'intellect pour se perdre dans les plis de l'âme allumant le feu des questions de l'existence. Devant la disparition progressive des certitudes et leurs fragilités, l'artiste se distancie des mots, permettant à l'imagination et aux rêves de s'exprimer. Depuis l'Antiquité, l'homme fait part de son angoisse et de ses soucis, avec une couleur inimitable qui s'exprime moins dans la clarté des symboles chargés de significations infinies que dans la sorcellerie, le tatouage qui protègent des malheurs.

Aujourd'hui, Tayseer s'arrête sur le moment sincère de la figuration primitive avec un langage moderne. Il dépasse l'hégémonie de la matière, la soumet à une nouvelle forme, un nouvel état ; il atteste le métaphysique avec un « code » venant d'un monde inconnu et se concentre dans l'instant présent comme évanouissement et en même temps renaissance.

L'œuvre tridimensionnelle de Tayseer, dont la matière est le bois travaillé avec du feu, nous mène dans un nouvel espace et vers des horizons magiques, teintés de mystère, très difficiles à présenter. Ses personnages, debout dans l'attente de leur destin, sont entourés d'amulettes et de nuées de gens dans une ambiance qui ressemble à la toile d'araignée. De lumière et de feu, l'abécédaire de Tayseer se développe, reliant le ciel à la terre, depuis que ses fenêtres restent grand-ouvertes pour laisser circuler l'air.

Cette présence mystique, cette inaccessible somptuosité révèlent le divorce consommé de l'artiste avec les critères qui règnent dans les domaines de l'art et de la connaissance, et ignore les déterminismes et les faits relevant de la logique. Avec l'expérience solitaire de la contemplation infinie de l'univers, le concept du temps et sa poétique basculent chez l'artiste. D'où le fait que son œuvre ne trahit pas une influence quelconque de la technologie et de la science d'aujourd'hui. Il part du caractère contemporain de l'idée et non de la manière avec laquelle elle s'expose.

Son but est d'exprimer la dimension humaine de l'art, en se servant de la géométrie et de l'alchimie comme instruments pour concrétiser son drame et le décrire avec la sensibilité de l'artiste qui pressent que la connaissance est difficile à atteindre, comme un rêve irréalisable. Quand l'artiste joue avec la lumière dans les lieux obscurs, il n'exprime pas la tristesse immanente de l'obscurité, ni la splendeur de la lumière. Il laisse aux sens et à la raison la spontanéité d'agir par eux-mêmes.

Khaled Hourani

Kamal Boullata

Né à Jérusalem en 1942.

À la suite de l'obtention de son diplôme à l'Académie des beaux-arts de Rome en 1965, il poursuit des études à la Corcoran School of Art à Washington D.C. et s'installe de manière permanente aux États-Unis.

Après avoir développé la conception artistique de la collection de livres d'enfants des éditions *Dar al-Fata al-Arabi* à Beyrouth en 1975, Kamal Boullata a dirigé des anthologies poétiques en traduction, et a contribué à de multiples ouvrages et revues par ses écrits sur l'art arabe contemporain et les rapports de l'art islamique à la langue arabe. En 1982, il est nommé professeur adjoint au département de Linguistique à l'Université de Georgetown à Washington.

Entre 1980 et 1986, il est chargé des expositions, lectures poétiques, conférences et concerts à l'Arab American Cultural Foundation à Washington.

En 1988 il est co-commissaire de *C'est possible, 24 artistes israéliens et palestiniens pour la paix*, exposition itinérante aux États-Unis, puis à Tokyo et Berlin, ainsi qu'en 1989, commissaire de l'exposition présentée à Genève, Montréal et New York, intitulée *Témoins fidèles, les enfants palestiniens recréent leur monde*.

Ses œuvres sont conservées dans de nombreuses collections publiques et particulières ; il a d'autre part réalisé des œuvres – en pierre et textile – pour des bâtiments publics et des sièges de sociétés, outre la publication de portfolios et livres d'artiste : *Beginnings* (1992), *Trois quartettes* (1994) et *Granada* (1996). En 1993 et 1994, durant un séjour au Maroc en tant que chercheur avec l'Institution Fullbright, il a peint et poursuivi ses études sur l'art islamique.

Kamal Boullata se partage désormais entre Washington et Paris.

Principales expositions personnelles

1983 Galerie Thomas Evans, National Museum Of Natural History, Washington D.C.

1984 Musée national de Jordanie, Amman
National Council of Art, Koweit
Galerie Al-Hakawati, Jérusalem
Arti et Amicitiae Gallery, Amsterdam

1985 Alliance française, Abu Dhabi
U.A.E. Art Society, Manama (Bahrain)
Qatar Society of Fine Arts, Doha (Qatar)
Arab Heritage Gallery, Khobar (Arabie Saoudite)

1986 University Art Gallery, Université du Texas, Houston
Galerie Lindenberg, Nijmegen, (Pays Bas)
Portland City Council, Portland (Oregon)

1987 Hanes Gallery, Université de Caroline du Nord, Chapel Hill
The Art Gallery, Université du Michigan, Ann Arbor
Maison de la culture, Montréal

1988 Fine Arts Gallery, Université d'Indiana, Bloomington

1989 Clough Hanson Gallery, Rhodes College, Memphis (Tennessee)

1990 Houghton House Art Gallery, Hobbart and Williams Smith Colleges, Geneve (New-York)

1991 Alif Gallery, Washington D.C.

1993 Dar America, Rabat

1994 Darat al-Funun Gallery, Amman
Atassi Gallery, Damas

Principales expositions collectives

1970 Protech-Rivkin Gallery, Washington D.C.

1978 *Sérigraphies par des artistes de Washington*, Gallery 1734, Washington D.C.
L'Art palestinien aujourd'hui, Centre d'Art contemporain, Tokyo

1979 *Œuvres sur papier*, Dar Lasram Gallery, Tunis
Art by Palestinian Artists, National Museum of Asian Arts, Moscou
Artistes arabes contemporains, Musée national d'Art moderne, Bagdad

1981 *Palestinian Art today*, Kunstnernes Hus, Oslo
Art de la Résistance palestinienne, Musée national d'Art moderne, Téhéran
Artistes de Washington, Diane Brown Sculpture Space, Washington D.C.

1982 *Contemporary Palestinian Art*, Tokyo Metropolitan Museum, Tokyo

1985 *Two Artits from the Third World*, avec Rudy Martina, Rasa Gallery, Utrecht (Pays-Bas)
Artistes arabes contemporains, Graffiti Gallery, Londres

1986 *Artistes arabes américains*, Alif Gallery, Washington D.C.
Words and Wounds avec Dia Azzawi, Alif Gallery, Washington D.C.

1987 *Se lire : Concernant la culture Islamique*, Cultural Council Foundation, New York

1988 *It's Possible : 24 Israeli and Palestinian Artists Unite for Peace*, Cooper Union, New York et Cliff Michel Gallery, Seattle (Washington)

1989 *Permanent Collection of Contemporary Art of the National Museum of Jordan*, Barbican Art Centre, Londres
Biennale de Bagdad d'Art contemporain, Musée national d'Art contemporain, Bagdad

1991 *Sept par Sept*, Foundry Gallery, Washington D.C.
Arab Art : The Past Four Decades, Alif Gallery, Washington D.C.

1992 *Art sur papier et livres d'artistes*, Corcoran Art Museum, Washington D.C.

1993 *Adonis : Les livres d'artistes* Centre culturel français, Rabat
Première Triennale internationale d'Art graphique, Galeries du ministère de la Culture, Le Caire

1994 *Autre et même : triangles*, Centre culturel français, Casablanca (Maroc)

1995 *De l'exil à Jérusalem*, Al-Wasiti Gallery, Jérusalem

FuRĀT. 1   16 / 50

FURĀT·2   16/50   boullata 96

FURĀT 3   16/50   Boullata 96

Kamal Boullata

Élaborée avec une continuité et une patience remarquables, l'œuvre de Boullata est celle d'un arpenteur, un artiste de la proportion et de la mesure.

Derrière cette passion de la géométrie, il y a l'apprentissage de l'icône, qui a forgé les débuts de sa formation plastique. Apprentissage que ne connaît pas, par exemple, le peintre maghrébin, mais qui, au Moyen-Orient, a maintenu une vénérable tradition entre la civilisation byzantine et la civilisation arabo-islamique. Une correspondance doit se *laisser voir* à travers ce patrimoine commun où l'artiste contemporain dépose quelque part le secret de son initiation, de son voyage dans les temps lointains.

Boullata ne se contente pas d'explorer cette double tradition ; il la déplace, en tant qu'artiste et en tant qu'esthéticien. J'admire chez lui cette capacité de lier la pratique à une pensée dynamique, toujours en éveil, en quête de quelque secret incroyable. Lui-même considère son œuvre, l'espace de son œuvre et son évolution, comme un *laboratoire portatif*, qui est si utile dans les plus durs moments de l'exil.

Dans ce sens et dans ces conditions, l'exilé invente la venue de son territoire, de sa terre. Il participe à la promesse, au partage avec tout regardant hospitalier d'où qu'il vienne. J'entends Boullata me confier : « je suis né à Al Qods, (porte de Jaffa), et je suis parti en exil par la porte de Damas ».

Il faut imaginer que loin de cette terre, le peintre en exil s'exerce à un art de la distance, dans l'invention de cette promesse à la fois contestée et irréductible.

Boullata travaille avec un choix pensé de quelques principes : pureté de la forme, autonomie des puissances géométriques et ornementales, sérialité animée par une combinatoire entre signes, couleurs, lettres, chiffres. Combinatoire systématique qui déroute le premier regard ou le séduit avec aisance, mais ce sont là des effets d'optique en quelque sorte mystiques, là où la contemplation du regardant est invitée à s'arrêter, à se laisser tisser aux nervures oniriques de cette œuvre.

La série qu'on expose est un dialogue et une lutte avec l'art de la mosaïque, qui est une sorte de ressourcement à l'art byzantin et arabo-islamique.

Alors que dans son travail consacré au poème d'Adonis, *Douze lanternes pour Grenade*, Boullata fait appel à l'architecture, en correspondance avec les niches ornementales de l'Alhambra, la mosaïque, les couplets gravés sur le mur, nous assistons ici à une scénographie singulière d'un polygone étoilé en perpétuelle dissymétrie.

Il ne reproduit jamais le polygone étoilé tel quel, dans sa forme traditionnelle, si familière aux différents arts arabo-islamiques. Il le met en mouvement, en série, en métamorphose technique, comme s'il cherchait, dans ces permutations, les reflets d'un miroir brisé dans le regard endormi de l'Ancêtre.

Dans ses anciennes séries, il restait fidèle à la linéarité et la stabilité de la couleur, de la lettre, du chiffre ; il maintenait son droit de regard sur un espace plastique saturé, certes, mais épuré par sa passion de la géométrie, favorable à une contemplation très pensive devant une écriture en dédale. Dans les nouvelles séries, la lettre n'est plus là, elle est retournée à un alphabet invisible, elle cède la place à l'équilibre des proportions, à la rigueur des rapports, une rigueur qui vibre, à la place du rythme.

Cet univers idéal et contemplatif, ces nouveaux *mandalas* d'un artiste qui a transformé son exil en une technique onirique fabriquant de la rêverie sur un jeu de permutations et de substitutions, est troublante à maints égards. Certains n'y verraient qu'une vanité décorative, d'autres la reproduction factice de modèles désuets (de l'art byzantin et arabo-islamique), mais je pense que les puissances de l'ornemental habitent toujours l'imagination plastique. Ces puissances sont soit refoulées, soit intériorisées par l'artiste. Dans ce domaine, Matisse a su nous montrer la voie.

« L'ornemental », « le géométrique », « le décoratif », toutes ces notions sont à repenser sous le signe de *l'imaginal*, qui tresse notre perception sensible de ce qu'on appelle le monde. Ce monde est aussi l'Ailleurs, où les regardants (nous-mêmes) sont les invités de l'artiste, ici même.

Abdelkebir Khatibi

Jumana El Husseini

Née à Jérusalem en 1932.
Après un semestre d'études artistiques à l'Université américaine de Beyrouth, elle entreprend l'étude du vitrail à l'École des beaux-arts de Paris.
Jumana El Husseini réside et travaille actuellement à Paris.

Principales expositions personelles

1965	Woodstock Gallery, Londres
1968	Centre culturel allemand, Tripoli (Liban)
1970	American University, Beyrouth
1971	Universités de Bonn et de Stuttgart
	Galerie nationale Imlanbachaus, Munich
1973	Delta Gallery, Rome
	Galerie des Antiquaires, Beyrouth
1979	Dôme de Djedda (Arabie Saoudite)
1981	Redec Gallery, Djedda
1984	Arab Heritage Gallery, Dahran (Arabie Saoudite)
1987	Exposition itinérante aux États-Unis et au Canada avec le Comité americano-arabe contre la discrimination
1989	Soviet Frienship Centre, Moscou
	Addison/Ripley Gallery, Washington D.C.
	Georgetown University, Washington D.C.
1990	Galerie Etienne Dinet, Paris
1991	Argile Gallery, Londres
	Shoman Institute, Amman
1993	Anadiel Galerie, Jérusalem

Principales expositions collectives

1960	Musée Sursok, Beyrouth
1962	Beirut College for Women, Beyrouth
1963	Stairs of the American University, Beyrouth
1964	Musée Sursok, Beyrouth
1966	Centre culturel, Paris et Bruxelles
1967	Musée Sursok, Beyrouth (prix de peinture)
1969	Exposition d'Artistes contemporains, Londres
	Biennale d'Alexandrie (Égypte)
1971	Exposition d'Artistes arabes, Damas
1971/72/73	The Smithsonian Institution : exposition itinérante aux États-Unis
1972	Galerie Delta, Beyrouth
1972	Galerie Labercatia, Rome (médaille d'argent)
	Biennale, Koweït.
	10e Festival international de la jeunesse, Berlin
1974	1ère Biennale arabe, Bagdad
	Exposition d'Artistes arabes, Beyrouth
1975	Exposition d'Artistes arabes, Maroc, Algérie et Tunisie
1978	Société japonaise pour les Artistes afro-asiatiques, Tokyo
1979	Biennale de Venise
	École des beaux-arts de Lisbonne
	Nations unies, Genève
1980	Musée d'Art oriental, Moscou
	Musée national, Madrid
	Musée de la céramique, Saragosse (Espagne)
	Ausstellungszentum Fernsehturm, Berlin
	Musée d'Art moderne, Varsovie
	Maison de la Culture, Eisleben (Allemagne)
	Centre culturel, Byton (Pologne)
1981/82	Kunsternes Hus, Oslo
	Christiansands Kunts, Forening
1982	Université arabe de Beyrouth
1983	The Friends House, Londres
1984	Concert House, Stokholm
1985	Palais des congrès et de la culture, Lorient, (France)
	Mall Gallery, Londres
1986	Centre des Unions Chrétiennes, Genève
	Ligue arabe, Paris
	Salle d'exposition de Sépulcre, Caen (France)
	Hall d'honneur de l'Hôtel de Ville, Brest (France)
	Pavillon Le Verdurier, Limoges (France)
	Salle des expositions, Hôtel de Ville, Carcassonne (France)
	Galerie du Vestibule de la Salle Arago, Hôtel de Ville, Perpignan (France)
	Galeries Passerelle et Mathurin, Tours (France)
1987	Exposition itinérante aux États-Unis et au Canada sponsorisée par The Palestine Human Rights
	Exposition collective sponsorisée par l'Union des femmes palestiniennes, Koweit
1988	Messe Palace, Vienne (Autriche)
	Museum of Modern Art, Tokyo
1989	Barbican Centre, Londres
1990	Hotel de Ville, Douai (France)
1991	Espace Voltaire, Paris
1992	Salon de Mai, Grand Palais, Paris
1993	*Réalités Nouvelles*, Grand Palais, Paris
	Darat Al Funun Gallery, Amman
1994	The National Museum of Women in the Art, Washington D.C.
	Dudley House-Lehman, Harvard University, Cambridge (Massachusetts)
	Miami-Dade Community College Wolfson Galleries (Floride)
	Alif Gallery, Washigton D.C.
	Darat Al-Funun Gallery, Amman
	Al-wasiti Art Centre, Jérusalem
	Chicago Cultural Centre, Chicago (Illinois)
1995	Gwinnett Art Centre, Atlanta (Georgia)
	Bedford Gallery, Walnut Creek, Civic Arts Centre (Californie)
	China Women's Conference, Beiging

Jumana El Husseini

En dépit des multiples et pénibles circonstances qui lui ont été imposées au long de son existence, Jumana El Husseini est parvenue à surmonter de telles épreuves par son besoin de création artistique où elle ne laissera filtrer qu'une paisible démarche, une suave et rayonnante euphorie.

Je n'en veux pour preuves que les quelques témoignages, également présentés ici, sur ses activités antérieures, sur sa quête intérieure inlassablement poursuivie, que vous découvrirez avec ravissement. En pleine lucidité, elle a pris le temps de rechercher les moyens d'expression qu'elle avait alors à sa portée. Ainsi pour mieux se soustraire aux dures contingences quotidiennes qu'elle doit affronter durant des années, elle préfère s'évader dans d'harmonieuses cités de rêve ou, par la suite, dans des compositions plus structurées qu'elle décrit minutieusement au pinceau. Aux pires moments, pour échapper à l'attente des événements et des déplacements douloureux, elle s'astreint à l'interminable et patient labeur, dans des broderies-tapisseries, du jeu de l'aiguille et des fils entremêlés de coton ou de soie. D'instinct, tandis que s'écoulent les ans, elle retrouve les gestes ancestraux, les motifs et dessins des costumes populaires d'une tradition en train de se perdre.

Ces dernières années, balayant retenue ou hésitations, et profitant enfin d'un havre de paix à Paris, après des expositions saluées avec succès aux États-Unis, elle s'est avidement lancée dans un langage pictural qui la satisfasse pleinement. Elle éprouve en fait la nécessité d'oublier tourments et appréhensions du passé, de se sentir totalement dans l'heureuse jouissance de sa propre liberté, reconquise non sans mal.

De manière inattendue, remarquable, par rapport à ses précédents efforts, son élan créatif se dénoue spontanément, s'affranchit des contraintes, dépasse les seuils difficiles, s'épanouit sans peine, s'ouvre à une radieuse vision fleurie, aux subtils et délicats enchantements.

Dosant habilement techniques et ingrédients, faisant appel tour à tour à l'huile, aux crayons et pastels, elle réussit sans nul doute, en accentuant l'aspect général ouaté, presque diaphane, la suavité du matériau, à nous transporter dans quelque étendue imaginaire ponctuée d'illusoires fragments urbains ou de mystérieuses ouvertures. L'air, fluide, évanescent, azuré ou rosé, circule partout au sein de brefs rappels de la nature ou de fausses écritures si chères aux traditions arabes. Quelques traces ou signes aux tonalités contrastées ponctuent et animent ces espaces aux allures démesurées, mais n'en invitent pas moins, malgré leur appréciable ampleur, tout spectateur à se référer à une certaine intimité, à approfondir la réflexion spirituelle. Car en fait les souvenirs dilués sont toujours présents, même s'ils paraissent sur le point de s'évanouir, de se dissocier en fragments peu discernables et prêts à se confondre. La luminosité rayonnante, omniprésente, transfigure une partie de cet ensemble, lui confère un impérieux attrait en le dotant d'une rare ambiance de fragilité et de tendresse. Au spectateur d'interpréter à sa convenance cette impressionnante, cette insolite douceur de vivre. Une pareille tentative ne répond-elle pas à la vocation de l'art ?

Un choix est d'ailleurs laissé, dans cette remarquable évocation poétique, à ceux qui préfèrent les nocturnes énigmatiques, les cieux chargés de sourdes menaces, les nuées aux sombres dégradés, les trouées obscures traversées par une lente montée lumineuse. Car les noirs ou les terres conservent quelque féerie inattendue, susceptible de faire oublier d'anciennes craintes ou regrets, afin d'entraîner le regard inquiet vers des zones où scintille l'espérance.

Indéniable réussite de la part de cette artiste, fort connue ailleurs, qui a su renouveler courageusement son mode d'expression antérieur qui lui valut maints succès, afin de mieux nous transmettre aujourd'hui son message de confiance, de douce spiritualité malgré les incertitudes des lendemains.

Gaston Diehl

Mona Hatoum

Née à Beyrouth en 1952.

En 1972, elle est simultanément diplômée du Beirut University College et de la Byam Show School of Art à Londres, et en 1981, de la Slade School of Art à Londres. Elle est artiste en résidence au Contemporary Arts Centre de Seattle en 1984, puis au Chisenhale Dance Space à Londres en 1986-87, et au Western Front à Vancouver en 1988. De 1986 à 1994, elle est professeur invitée au Central Saint Martins College of Art and Design à Londres. Elle poursuit cette activité d'enseignement au Cardiff Institute of Higher Education de 1989 à 1992, puis, pendant deux ans, à l'Académie Jan Van Eyck à Maastricht.

Mona Hatoum a également été membre des Comités London Video Access, Third Text (Third World Perspectives on Contemporary Art and Culture et du Council of Great-Britain).

Ses réalisations ont été présentées dans de multiples festivals et programmations vidéo.

Elle vit et travaille à Londres.

Principales expositions personnelles

1989 *The Light at the End*, The Showroom, Londres
The Light at the End, Galerie Oboro, Montréal
1992 *Dissected Space*, Chapter, Cardiff (Pays de Galles)
Mario Flecha Gallery, Londres
1993 *Recent Work*, Arnolfini, Bristol (Grande-Bretagne)
Galerie Chantal Crousel, Paris
1994 Galerie René Blouin, Montréal
Musée national d'Art moderne, Centre Georges Pompidou, Paris
1995 White Cube, Londres
Galerie Chantal Crousel, Paris
The British School, Rome
1996 Galerie Anadiel, Jérusalem
Current Disturbance, Capp Street Project, San Francisco (Californie)
Quarters, Via Farini, Milan (Italie)
De Appel, Amsterdam

Principales expositions collectives

1989 *Intimate Distance*, Photographers Gallery, Londres puis itinérante en Grande-Bretagne
The Other Story, Hayward Gallery, Londres
1990 *The British Art Show*, McLellan Galleries, Glasgow ; Leeds City Art Gallery, Leeds, et Hayward Gallery, Londres
Video and Myth, The Museum of Modern Art, New York
TSWA Four Cities Project, Newcastle upon Tyne, (Grande-Bretagne)
1991 *Shocks to the System*, Royal Festival Hall, Londres et itinérante en Grande-Bretagne
Interrogating Identity, Grey Art Gallery, New York et itinérante aux États-Unis
The Interrupted Life, The New Museum of Contemporary Art, New York
1992 *Pour la Suite du Monde*, Musée d'Art contemporain, Montréal
Vidéo and Orality, National Gallery of Canada, Ottawa
Manifeste, 30 ans de création en perspective 1960-1990, Centre Georges Pompidou, Paris

1993 *Four Rooms, Four installation artists*, Serpentine Gallery, Londres
Grazer Combustion, Steirischer Herbst '93 Festival, Graz (Autriche)
Positionnings, (avec Barbara Steinman), Art Gallery of Ontario, Toronto
1994 *Forces of Change : Artists of the Arab World*, The National Museum of Women in the Arts, Washington D.C. et itinérante aux États-Unis
Espacios Fragmentados, V Bienal de la Habana, La Havane
Sense and Sensibility : Women and Minimalism in the nineties, Museum of Modern Art, New York
Cocido y Crudo, Museo Nacional, Centro de Arte Reina Sofia, Madrid
Heart of Darkness, Kröller Müller, Otterlo (Pays-Bas)
1995 *ARS 95 Helsinki*, Museum of Contemporary Art, Helsinky
Identity and Alterity, Biennale de Venise
Rites of Passage, Tate Gallery, Londres
Masculin Feminin, Centre Georges Pompidou, Paris
The Turner Prize,1995 exhibition, Tate Gallery, Londres
4th International Istanbul Biennal, Istanbul
1996 *Inside the Visible*, ICA, Boston ;
The National Museum Of Women in the Arts, Washington D.C. et Whitechapel Art Gallery, Londres
FremdKörper / Corps étranger / Foreign Body, Museum für Gegenwartskunst, Bâle
Distemper : Dissonant Themes in the Art of the 1990s, Hirshhorn Museum and Sculpture Garden, Washington D.C.
Inclusion : Exclusion, Steirischer Herbst, Graz, (Autriche)
Life / live La Scène artistique au Royaume-Uni en 1996, de nouvelles aventures, Musée d'Art moderne de la Ville de Paris, Paris

No Way, 1996
Acier, édition de 6
12,8 x 40,6 x 6 cm

Nablus soap, 1996
Savon et épingles, édition de 12
8,5 x 8,5 x 7,5 cm

Mona Hatoum

Present Tense,1996
Savon et plaques de verre
299 x 241 x 4,5 cm

Mona Hatoum   62

Present Tense,1996
(détail)
Savon et plaques de verre
299 x 241 x 4,5 cm

Mona Hatoum   63

À propos de Mona Hatoum

Mona Hatoum, née dans une famille palestinienne de Beyrouth (1952), vit et travaille à Londres depuis 1975. Venue en visite en Grande-Bretagne, elle y resta lorsque le début de la guerre civile au Liban l'empêcha de rentrer chez elle. Elle se fit connaître par une série d'œuvres vivantes qui se concentraient avec une grande intensité sur le corps en tant que métaphore des forces sociales agissant sur lui. L'une des constantes de ces performances était que, bien que physiquement présente en public, l'artiste était séparée des spectateurs par quelque espèce de barrière, cage, capuche, pellicule ou membrane. Cela donnait aussitôt une idée d'emprisonnement, mais aussi de fossé dans la communication : la difficulté de communiquer par-delà une frontière culturelle, de rendre des dislocations tumultueuses pour des spectateurs qui n'en avaient ni la connaissance ni l'expérience. Le fossé était fortement perçu aussi dans la dimension temporelle de l'œuvre. Une durée lente, douloureuse, prolongée intensifiait et concentrait une sensation qui menaçait en même temps de se perdre dans le brouillard des voix des médias (lesquelles formaient la bande-son de certaines de ces pièces) et de se perdre, peut-être, dans l'attention volage du spectateur lui-même [1].

Des significations fluides, un paradoxe fécond et un subtil mouvement dialectique traversent tout le puissant corpus d'œuvres que Mona Hatoum a produit au cours des quinze dernières années et qui a suscité l'attention internationale. Son œuvre est un exemple exceptionnel de l'entrelacs des questions éthiques, politiques et esthétiques, dont la beauté repose dans l'esprit, l'économie, le risque et même la malice dont ces questions sont investies. Elles se combinent dans une pratique artistique où sa propre imagination – la « volonté de former » de l'artiste – s'engage dans un processus d'interaction extrêmement raffiné avec la présence du spectateur. Dans cette rencontre, toute grandiloquence d'un côté ou de l'autre devient pratiquement impossible, parce que l'espace ainsi créé est un espace de

sensibilisation, d'interrogation réciproque, et non d'exigences arbitraires ou de déclarations définitives. Dans les œuvres d'une simplicité trompeuse de Mona Hatoum, la défiance n'est pas facile à séparer de la vulnérabilité, l'ordre du chaos, la beauté de la répulsion, le cerveau du corps, le moi de l'autre, l'affirmation de la négation, la forme du contenu, la lumière de l'obscurité [2].

Invitée en avril 1996 à exposer dans une petite galerie de la partie essentiellement arabe de Jérusalem-Est, Mona Hatoum songea dans un premier temps à une installation agressive de murs et de clous, menaçant le corps. Mais cela lui parut une erreur : pourquoi rappeler aux gens les restrictions et les menaces qu'ils vivent tous les jours ? Son retour au Proche-Orient lui avait entre autres permis de se replonger, avec un immense plaisir, dans un univers sensoriel familier (tant de vues, de sons et de parfums qu'elle se rappelait de son enfance). C'est quelque chose de plus doux, issu de souvenirs spécifiques et partagés, qui devint finalement la base des œuvres qu'elle fit et exposa.

Present Tense, 1996, la pièce qui occupait la partie centrale du plancher de la vieille boutique délabrée et abandonnée qui servait de galerie, consistait en une grille de blocs cubiques de savon blanc. Les familles palestiniennes faisaient traditionnellement elles-mêmes ce savon, à base d'huile d'olive ; Mona Hatoum obtint le sien d'une petite fabrique à Naplouse qui utilise encore les vieilles méthodes fondées sur une forme de production manuelle. Toute la surface du savon carré était couverte d'un motif complexe qu'elle avait obtenu en perçant de petits trous avec un clou et en remplissant chacun d'eux d'une perle rouge. Ce qui semblait un dessin abstrait se révéla être la carte des « Accords de paix d'Oslo » de 1993, première phase d'un processus par quoi Israël devait restituer aux Palestiniens la souveraineté sur certaines parties du pays. La beauté des innombrables îles en forme d'amibes contredisait la violence représentée par la carte, processus de division et d'hégémonie poussé jusqu'à la folie.

Des objets plus petits étaient exposés dans les vitrines de la galerie : pains de savon de Naplouse où étaient enfoncées des épingles, telles de petites mines explosives, repoussant le désir

naturel de toucher ou de sentir, et une grande cuiller de service
percée provenant de la cuisine, dont les trous étaient bouchés
par des écrous et des boulons – objet, encore une fois,
à mi-chemin entre une métaphore de l'immobilité impuissante
et une arme active. Un passant palestinien ravit Mona Hatoum
en saisissant le sens des œuvres exposées : il huma le savon de
Present Tense en disant qu'il imaginait que la dissolution du
savon serait la dissolution de toutes les frontières et barrières [3]…

Guy Brett

1. Extrait de *Dissected Space*, Chapter, Cardiff, 1992.
2. Extrait de *Mona Hatoum*, Phaidon Press, Londres (à paraître).
3. *Ibid.*

Souleiman Mansour

Né à Birzeit en 1947.

Après des études à l'académie des arts Bezalel, il est professeur au Centre des Arts populaires Al-Jalil, puis à l'Institut de formation et d'enseignement de Ramallah entre 1971 et 1982. Il est ensuite associé à la conception du projet de développement de la formation artisanale à l'Université de Birzeit et, en 1986, membre fondateur, avec Nabil Anani, du musée des Arts et Traditions populaires au sein de l'association Al-Birat.

Souleiman Mansour a été président de l'Association des artistes palestiniens de 1986 à 1990 et directeur du centre Al-Wasiti à Jérusalem en 1995-96.

De 1981 à 1993, il a été caricaturiste dans la revue *Al-Fajr al Inglisi*. Il est également co-auteur des ouvrages *Les costumes palestiniens* et *L'art de la broderie palestinienne*.

Il vit et travaille à Jérusalem.

Principales expositions personnelles

1981	Galerie 79, Ramallah (Palestine)
1992	Siège de l'ONU, New York
1993	Hôtel Ritz Carlton, Washington D.C.
1995	Biennale de Sharjah (Émirats Arabes Unis)
1996	Centre culturel, Stavanger (Norvège)

Principales expositions collectives

1975	Première exposition de l'Association des artistes plasticiens palestiniens dans les Territoires occupés, Jérusalem, Naplouse, Annacira, Ghaza
1976	Centre culturel soviétique, Amman
1977	Bureau de la Ligue arabe, Washington D.C.
1978	*Pour un musée palestinien*, Beyrouth
1979	*Le tiers monde et le Japon*, Tokyo
1980	Musée national des Arts orientaux, Moscou
1981	La Maison des Arts, Kunsternes Hus, Oslo
1982	Exposition de la Ligue arabe, Beyrouth *L'art sous l'occupation*, Musée national, Koweit
1983	Treizième Biennale, Koweït
1984	Premier Festival de Birzeit
1985	*Contre l'occupation et pour la liberté d'expression*, Galerie Artefact, Tel Aviv
1987	Exposition à l'occasion de l'inauguration de l'Institut du monde arabe, Paris
1988	*It's Possible*, Cooper Union, New York
1989	Premier Festival de la Culture Palestinienne, Le Caire
1990	Galerie Al Madina, Salerne, (Italie) Festival d'Asilah, (Maroc) *L'Occupation et la Résistance*, L'Autre Musée, New York
1991	Musée national de Jordanie, Amann
1992	Fondation Abdelhamid Shoman, Amman Musée Keiser, Bonn
1993	La Laiterie, Strasbourg (France) Exposition au Parlement, Madrid
1994	*Sans titre*, Centre culturel français, Jérusalem *Construire un pont*, Hotel Méridien, Washington D.C.
1995	*Nouvelles expériences*, Galerie Anadiel, Jérusalem
1996	Ministère de la Culture, Bruxelles

Voies choisies :
l'art de Souleiman Mansour

Dans un récent autoportrait, Souleiman Mansour s'est représenté en vieillard. L'air beaucoup plus âgé que ses quarante-neuf ans, l'artiste s'appuie sur une canne – peut-être un bâton de marche –, émergeant d'un abîme noir. Son regard sage et triste est dirigé vers le spectateur, mais, en fait, atteint un point invisible qui est au-delà de ce monde. Venu de l'obscurité, retournant à l'obscurité, il semble contempler la mort, faisant le voyage existentiel de tout homme.

La dimension universelle de ce sombre autoportrait ne doit cependant pas masquer la nature extraordinaire et spécifique du voyage de Mansour. Car la vie et l'art de cet important artiste palestinien révèlent des choix conscients et inconscients tout à fait uniques – des routes qui ont été prises ou qui n'ont pas été prises.

La première route
La route de Birzeit à Beit Jalah serpente, souvent traîtreusement, à travers les pentes abruptes du cœur rural de la Cisjordanie. Le paysage qui s'étend de part et d'autre de cette route – avec ses oliveraies, ses fleurs sauvages, ses collines en terrasses et sa terre aride – est le théâtre de l'enfance de Mansour. Il avait seulement quatre ans quand il parcourut pour la première fois cette route sinueuse de Birzeit, où vivait sa famille, à Beit Jalah, où il allait en pension, après la disparition prématurée de son père.

Les vues, les senteurs et les émotions évoquées par ce paysage – qu'il a traversé d'innombrables fois – se sont gravées dans son être. Tout au long de sa vie, et à tous les stades de son évolution artistique, elles ont constamment dominé son art : elles nourrissent les scènes figuratives qu'il peignit dans les années 1970 et au début des années 1980, où des *fellahin* monumentaux et des femmes palestiniennes en costume brodé traditionnel se livrent, dans une élégante chorégraphie, à la cueillette des olives ; et on peut les discerner dans les œuvres abstraites de la dernière décennie, où les teintes et les textures de la terre et du ciel apparaissent dans de grandes compositions façonnées dans la terre elle-même.

Le lien profond avec la terre – aspect toujours naturel et intrinsèque de l'identité et de l'art de Mansour – fut ensuite formulé dans une idéologie collective qu'on appelle *summud*, qui soulignait les racines, impossibles à couper, rattachant les Palestiniens à leur terre, à leur demeure, à leur patrie. La politique du *summud* se conjugua avec la sensibilité personnelle de Mansour et lui permit de créer des emblèmes de l'identité nationale, des images visuelles qui affirment ce sentiment qu'ont les Palestiniens d'être enracinés dans leur terre.

La route de Jérusalem
En 1967, avant même que l'idéologie du *summud* n'ait été clairement formulée, Mansour l'appliquait intuitivement, à l'âge de vingt-deux ans. Récusant l'idée d'une vie en exil, il devint le premier Palestinien à s'inscrire à la nouvelle école d'art et d'artisanat Bezalel à Jérusalem. Il put ainsi poursuivre une carrière d'artiste sans quitter sa patrie.

Le choix de rester en Cisjordanie imposait toutefois une vie de libertés restreintes et d'épreuves, sous l'occupation militaire israélienne. Cette expérience eut une profonde incidence sur la vie et sur l'art de Mansour, à de nombreux niveaux différents. Alors que la première génération d'artistes palestiniens (dont Ismael Shamout et Tamam al-Akhal) se concentrait sur les expériences des réfugiés palestiniens déplacés, Mansour devint l'un des principaux artistes de la deuxième génération, créant un art qui exprimait la situation critique d'un peuple resté dans les territoires occupés. Tout au long des années 1970 et du début des années 1980, Mansour contribua à construire une poétique de l'appartenance qui reflétait un engagement personnel et politique en faveur de la terre et de son peuple. Hommes, femmes et enfants, jeunes et vieux, sont dépeints avec compassion dans son œuvre. Un vieil homme avec Jérusalem sur le dos dévoile le lien profond qui existe entre la ville sainte et les Palestiniens. Les visages des femmes de Mansour mêlent souvent des traits de Palestiniennes contemporaines à ceux de figurines cananéennes aux grands yeux, suggérant un lien généalogique entre les Palestiniens et les anciens occupants de cette terre. L'enfant de l'Intifada, au visage émacié par la faim, est moulé à partir de la terre brune elle-même, appartenant à la fois figurativement et littéralement à la terre. Bien que ses yeux soient bandés et sa bouche bâillonnée, il est une puissante figure de rébellion, dont le cri silencieux exprime la lutte pour la survie et la dignité humaine.

Alors que les grands artistes palestiniens qui ont vécu dans la diaspora se sont fait connaître en exposant dans divers lieux internationaux, Mansour a choisi de rester et de développer une culture indigène et une infrastructure artistique dans le secteur palestinien. Il est ainsi l'un des fondateurs de l'Union des artistes palestiniens et du centre artistique Al-Wasiti à Jérusalem-Est. Il a également joué un rôle central en organisant de nombreuses expositions locales et internationales, promouvant l'art palestinien tant dans son pays qu'à l'étranger.

Parallèlement à son activité politique et à son engagement en faveur de la cause palestinienne, Mansour est resté ouvert aux autres cultures. Ses études à Bezalel lui ont permis d'apprendre le langage de l'art occidental et de se familiariser avec les pratiques et les théories artistiques contemporaines. Pourtant, voyant que certains aspects de l'art occidental ne convenaient pas à ses besoins, il essaya de préserver une authenticité dans son art sans être folklorique ni provincial. Les formes d'expression indigènes liées à la culture, à la broderie, à la calligraphie et à l'archéologie arabes, ajoutées aux souvenirs du paysage rural de son enfance, demeurèrent sa principale source d'inspiration.

La voie vers la libération
Le soulèvement palestinien – l'Intifada – et les forces qui y conduisirent eurent un effet libérateur sur les artistes de Cisjordanie et de Gaza. Tandis que la jeune génération de Palestiniens descendait dans la rue, les images de leur révolte, transmises par les chaînes de télévision du monde entier, et les graffiti expressifs qui envahirent les rues de la rive ouest et de Gaza devinrent de puissants emblèmes de la résistance et du nationalisme palestiniens. Les artistes qui auparavant se sentaient obligés de produire des images figuratives ouvertement liées à la lutte des Palestiniens étaient désormais libres de créer un art d'expression personnelle.

Mansour choisit de retourner à la terre. En créant des œuvres composées d'éléments issus de la terre, il semblait répondre à des besoins archétypiques, nationaux et personnels. Il façonna la boue et la paille comme le fermier travaille la terre, comme le jardinier plante un arbre, comme le réfugié palestinien construit sa hutte de boue séchée. Chaque composition devenait un paysage abstrait, imprégné de strates du passé récent et lointain. Dans l'une des séries, Mansour inséra des fragments de photographies, des ouvrages de broderie et des poteries cassées dans les entrailles de la terre. Ces traces de vie, échos de ce qui était jadis une culture prospère, furent transformées en un site archéologique d'identité nationale et personnelle. Une autre série de ce genre d'œuvres porte les noms de villages palestiniens détruits. Ce sont autant de commémorations qui sauvent de l'oubli les sites perdus. D'autres œuvres sont en relation avec des événements contemporains et leurs vestiges visuels. *Le Mur* de 1991, par exemple, nous présente un fragment de mur en boue séchée qui s'écaille, dans les ruelles du centre-ville. Des slogans sont inscrits sur les murs, imitant la texture et la calligraphie à plusieurs niveaux de la rue palestinienne.

Un homme à la croisée des chemins
La vie de Souleiman Mansour reflète ses choix. Le choix de rester en Palestine. Le choix de devenir artiste. Le choix de s'opposer à l'occupation et de prendre une position politique tout en poursuivant le dialogue. Son art est dominé par les conséquences de ses choix et par des dialogues qui s'entrecoupent : son dialogue avec la culture palestinienne traditionnelle, avec le passé ancien de la région, et avec les travailleurs de la terre, qui reste à jamais la matrice de sa créativité. Il dialogue également avec les autres artistes – palestiniens, israéliens, artistes occidentaux et arabes.

En regardant de nouveau le dernier autoportrait de Mansour, on voit un homme à la croisée des chemins. Marchant entre les mondes, entre les cultures, c'est un artiste, un individu, solitaire.

Gannit Ankori

Khalil Rabah

Né à Ramallah en 1961.
Entre 1980 et 1991, il vit aux États-Unis où il obtient son diplôme d'architecture à l'Université du Texas en 1987, puis il est diplômé des beaux-arts dans la même université en 1991. L'année suivante il revient en Palestine où il crée un cabinet de conseil en architecture.
Khalil Rabah vit et travaille à Ramallah. Ses œuvres sont conservées à Kwangju, en Corée du Sud, à Genève et à Amman (Musée national et Fondation Shoman).

Principales expositions personnelles

1981 Galerie de l'Université de Floride, Miami
1987 *« Suit » Cases*, Société d'Aide à la Palestine, Détroit (Michigan)
1989 Galerie de l'Université, Dallas (Texas)
1990 *« I.d. Entity »*, University Gallery, Arlington (Texas)
1992 *Discretion*, Galerie Anadiel, Jérusalem
1994 *Love over Gold*, Centre culturel français, Jérusalem
1996 *Body and « Sole »* (performances), Process Architects, Ramallah (Palestine)

Principales expositions collectives

1990 Centre de recherche pour l'Art contemporain, Arlington (Texas)
1992 *Douze Artistes*, Maison des Artistes, Jérusalem
7 from 67, Galerie de la Fondation Shoman, Amman
Around the World, exposition itinérante internationale
1993 *Rencontre Méditerranéenne*, Galerie des Franciscains, Saint Nazaire (France)
Art contemporain arabe, Galerie Aba'd, Amman
Opening Exhibition, Darat Al-Funun, Amman
1994 *Transit*, Central Bus Station, Tel Aviv
Building Bridges, Meridian International Centre, Washington D.C.
Paix, Palais des Arts, Marseille (France)
1995 *Par delà les frontières*, 1e Biennale de Kwangju, Kwangju (Corée du Sud)
Dialogues de paix, Palais des Nations, Genève
Parmi les Artistes, Galerie New Visions, Ramallah (Palestine)
1996 *Portrait-Autoportrait*, Al-Wasiti Art Centre, ministère de la Culture, Ramallah (Palestine)

Transfigurer le banal en métaphore : l'art de Khalil Rabah

Bien avant qu'il ne se familiarise avec l'art de la performance, Khalil Rabah créa une œuvre puissante dans le cadre de ce genre. Dans une création de 1982, conçue à l'époque difficile de la guerre du Liban, Rabah se plaça dans une attitude ambiguë, qui rappelait les aspects sacrés et profanes de la soumission. Se déplaçant à partir de cette pose vulnérable, teintée de connotations sexuelles et politiques, l'artiste à demi-nu se mit à ramper sur des éclats de verre, se lançant dans un voyage imprévu et dangereux. Les accessoires spécifiques que nécessitait cette œuvre – le keffieh qui servait de pagne, les dessins au fusain dans le fond et les associations évoquées par le langage corporel de l'artiste, qui renvoyait à la fois à l'humiliation imposée par l'oppression et à la position de prière musulmane – étaient liés à certains aspects de l'identité palestinienne de l'artiste. Sa vulnérabilité et le climat général de l'œuvre évoquaient cependant la compassion humaine. La performance de Rabah exprimait de manière dramatique la quête d'expression de soi et de libération d'un jeune homme, et son désir conscient de reconstruire sa propre vie en tant qu'artiste, en tant que Palestinien, en tant qu'être humain complexe.

Il semble significatif que Rabah ait créé cette œuvre aux États-Unis, car elle est le reflet de sa situation de Palestinien en exil. Né à Jérusalem en 1961, Rabah étudia l'architecture en Floride et au Texas, où il vécut pendant près de dix ans et où se cristallisa son sentiment d'exil et d'altérité. Renonçant à vivre dans la diaspora, il rentra dans sa patrie. Pourtant, comme c'est souvent le cas, même une fois établi à Ramallah en 1993, Rabah demeura un marginal : artiste non conformiste, libre-penseur et individualiste non conventionnel, il avait adopté un mode de vie, des idéaux et des formes artistiques d'avant-garde qui s'éloignaient considérablement de l'état d'esprit traditionnel de la communauté palestinienne.

Malgré tout, Rabah ne rejette pas la tradition. Par son art, il tente plutôt d'analyser et de reconstruire les formes culturelles de sa société. Ainsi, par exemple, ses premières œuvres – qui recouraient au langage de l'abstraction – reflètent des préoccupations formelles et ontologiques, dans la mesure où il s'interroge sur la structure sous-jacente du keffieh et du motif brodé, et où il essaye de la révéler. Dans plusieurs œuvres, il examine la morphologie du keffieh, combinant la grille moderniste de l'art occidental à la coiffure arabe de sa propre culture indigène. Dans un collage de 1986, il éventre la robe palestinienne traditionnelle de sa grand-mère, dévoilant symboliquement le thème latent réprimé de la culture palestinienne, son âme et son cœur féminins. Le viol et la violence suggérés par cette œuvre clef réincarnent métaphoriquement la politique d'agression qui domine de nombreux aspects de la vie dans cette région, de l'occupation militaire israélienne à la soumission des femmes. Les premières œuvres de Rabah reflètent une quête de la révélation de soi, le renoncement aux couches extérieures pour découvrir l'essence du moi, composé du féminin et du masculin, de l'agresseur et de la victime, du personnel et du national.

La dialectique de l'exil et des racines s'exprime de manière poignante dans *Greffon* (1995), une installation pour laquelle Rabah déracina des oliviers du sol palestinien qu'il replanta à Genève. L'installation faisait partie de l'exposition *Dialogues de paix*, parrainée par les Nations unies au Palais des nations. Les oliviers, symbole de la paix, de l'identité et des racines palestiniennes, survécurent dans le parc engazonné de Genève, même si le cercle de terre brune autour de leur tronc noueux semblait indiquer qu'ils étaient isolés dans un environnement étranger. C'est l'expérience de l'exil et du retour aux racines de l'artiste lui-même – expérience partagée par d'innombrables Palestiniens dans la seconde moitié du XXᵉ siècle – qui s'exprime dans cette œuvre. Une autre dimension fut ajoutée à *Greffon* par une pléthore de fils à broder de couleur dont l'artiste orna ses arbres. Ces fils – outils de la créativité palestinienne traditionnelle – furent également utilisés pour embellir les sites choisis par d'autres artistes qui participaient à l'exposition de Genève.

Ils devenaient ainsi les dons de couleur que l'artiste palestinien faisait aux artistes d'autres cultures, en partageant des aspects de son propre héritage avec une communauté pluriculturelle engagée dans la transformation du banal en art.

Lors de la biennale de Kwangju en 1995, l'artiste trouva une autre manière de faire la synthèse du langage de l'art moderne et de certaines facettes de sa culture individuelle. Dans de larges cubes qui rappellent les sculptures minimalistes *hard-edge* du haut modernisme, en particulier celles de Donald Judd et de Robert Morris, Rabah versa de l'huile d'olive, proposant un saisissant contraste entre la géométrie ascétique des récipients et le liquide organique qu'ils contiennent. Des lumières scintillantes qui flottent à la surface de l'huile et des rameaux d'olivier qui s'enfoncent lentement dans le liquide évoquent la présence de la Terre sainte, l'héritage que l'artiste apporte avec lui où qu'il aille.

Dans une installation contemporaine intitulée *Incubation*, présentée par Jack Persekian au Centre culturel français de Jérusalem-Est, *Jérusalem la dorée* est ironiquement remplacée par des rouleaux de fil de fer barbelé peints couleur or. Pour les Palestiniens, le fil de fer barbelé est devenu le symbole des colonies juives qui délimitent et s'approprient une terre que les Palestiniens considèrent comme leur. Les grands rouleaux dorés contrastent avec une petite coupe en fer blanc remplie d'huile d'olive, dans laquelle sont placées des bobines de fil à broder. Rabah oppose donc la présence oppressante et épineuse de la société israélienne aux délicates petites bobines et à la douce huile, emblèmes de la culture palestinienne. L'installation non figurative devient un procédé de distanciation qui permet à Rabah d'exprimer des réalités dures et douloureuses sans être sentimental, et de faire des déclarations politiques sans faire de propagande.

La relation problématique entre Israéliens et Palestiniens trouve son expression dans *Carte de coexistence* de Rabah, *work in progress* qui est actuellement dans l'atelier de l'artiste. Tissant un tissu de laine d'acier et de coton, Rabah exprime une délicate union entre des matériaux opposés et en apparence incompatibles. Les matériaux contrastants gris et blanc, dur et doux,

réussissent à se métamorphoser, par le pouvoir magique de la vision de l'artiste, en un objet de beauté, en une métaphore de la coexistence.

Le voyage évoqué dans la première performance de Rabah est réintroduit dans des œuvres récentes qui utilisent des chaussures usées portant les traces des épreuves subies par leurs propriétaires. La souffrance sous-entendue par ces chaussures meurtries est renforcée par les clous qui pénètrent dans la « peau » de ces objets, lesquels deviennent des emblèmes anthropomorphiques de la condition humaine. Dans une installation de 1996 à la Maison des artistes de Tel Aviv, Rabah exposa de nombreuses chaussures couvertes de pansements qui paraissaient étrangement humaines, comme si elles possédaient une peau de « substitution ». Les pansements évoquaient aussi implicitement la présence d'une blessure qui avait besoin d'être protégée et guérie. Les « saintes lumières » qui flottaient sur l'huile à la biennale de Kwangju en Corée préfiguraient les bougies utilisées dans les œuvres récentes de Rabah. Dans un lieu imprégné des rites des trois religions monothéistes, ces emblèmes deviennent puissants et ironiques.

Tandis que Rabah continue d'expérimenter avec de nouvelles formes artistiques, son art exprime la situation critique de l'être humain dans un environnement hostile, son besoin d'affirmer les facettes individuelles et culturelles de son identité sans abandonner l'aspiration à un discours universel fondé sur des valeurs partagées et des nécessités esthétiques. Rabah crée une poétique de l'individu exilé qui s'efforce de redécouvrir et de redéfinir ses propres racines et sa propre humanité.

Gannit Ankori

Laila Shawa

Née à Gaza en 1940.
De 1957 à 1964, elle poursuit successivement ses études d'art au Caire, à Rome et à Salzbourg en Autriche, où elle suit les cours du peintre expressionniste Oskar Kokoschka. En 1965, elle travaille deux ans avec l'U.N.R.W.A dans la bande de Gaza où elle supervise l'enseignement de l'artisanat ; puis elle s'installe à Beyrouth jusqu'en 1975. Ensuite elle se partage entre Londres et Gaza, où, de 1978 à 1988, elle exécute les vitraux du Centre culturel. Depuis 1987, Laila Shawa vit et travaille à Londres.
Elle est membre de l'Union des artistes palestiniens depuis 1968.
Ses œuvres figurent dans les collections publiques en Jordanie, Grande-Bretagne, Malaisie, au Koweit et aux États-Unis, ainsi que dans de nombreuses collections particulières.

Principales expositions personnelles

1965	Marna House, Gaza
1968	The Book Centre Gallery, Beyrouth
1970	The Vendom Hotel, Beyrouth
1971	Dar Tunis Gallery, Beyrouth
1972	Sultan Gallery, Koweit
1975	L'Antiquaire Gallery, Beyrouth
1976	Sultan Gallery, Koweit
1990	The National Art Gallery, Amman
1992	The Gallery, Londres
1994	The Library – SOAS – University of London, Londres
1997	*Eruptions, Explosions & Excision*, Mermaid Theatre Gallery, Londres

Principales expositions collectives

1987	*Arab Women Artists in the United Kingdom*, Kufa Gallery, Londres
1988	*The Baghdad Biennial*, Centre Saddam, Bagdad
1989	*Contemporary Art from the Islamic World Exhibition*, Barbican Centre, Londres
1990	*Malaysian Experience Exhibition*, National Art Gallery, Kuala Lumpur (Malaisie)
1992	*Three Artists from Gaza*, The Shoman Foundation, Amman
1993	Saga-Salon de L'estampe et de l'édition d'art à tirage limité, Grand Palais, Paris
1994/95	*Forces of Change, Women Artists of the Arab World*, The National Museum of Women in the Arts, Washington D.C. The Chicago Cultural Centre, Chicago (Illinois) Miami Dade Community College/Wolfson Campus, Centre Gallery, Miami (Floride) Nexus Contemporary Art Centre, Atlanta, (Georgie) Bedford Gallery, Walnut Creek (Californie)
1994	*Shawa & Wijdan*, October Gallery, Londres *From Exile to Jerusalem*, exposition d'inauguration, Al-Wasiti Art Centre, Jérusalem
1995	*Contemporary Middle Eastern Art, Recent acquisitions,* John Addis Gallery, British Museum, Londres *Artist's view, The Arab World,* Willamette Arts Gallery, Willamette University, Salem (Oregon)
	Contemporary Arab Artists, Darat Al-Funun, Amman
1995/97	*The right to hope exhibition*, One World Art, exposition itinérante en Afrique du Sud et au Canada
1996	*The winter exhibition*, October Gallery, Londres *The World Bank Gallery*, World Bank Building, Washington D.C. *The right to write*, des collections du Musée national de Jordanie, Agnes Scott College, Atlanta (Georgie) *Transvanguards*, October Gallery, Londres

Letter to a mother, 1992
Sérigraphie sur toile, édition de 3
95 x 150 cm

Laila Shawa

81

Laila Shawa :
les murs de Gaza

Les toiles photographiques de Laila Shawa, conçues en 1992, sont un témoignage sur les murs de Gaza pendant la dernière phase de l'Intifada, qui débuta en 1987 du fait de la tension croissante entre la population civile palestinienne vivant en zone occupée et la politique répressive des autorités israéliennes. Jusque-là, Laila Shawa avait travaillé essentiellement dans le domaine de la peinture. Interpellée par les événements changeants qui survenaient sur le terrain, elle passa à la photographie, qui lui semblait un moyen d'expression plus adapté au climat de cette période politique. En un sens, ce que révèle ce passage à la photographie, c'est la manière et le moment dont l'ordre social est troublé, si bien que les formes de langage du passé ne semblent plus convenir à l'expression de la situation sociale. Car quiconque a vécu des situations de violence, et l'insécurité quotidienne qui les accompagne, ne sait que trop bien qu'elles renvoient l'individu à soi-même, et amènent à reconsidérer tout ce qu'on tenait pour juste ou pour évident. La violence met en quelque sorte un filtre sur le monde, qui fait qu'on s'en détache et qu'on voit tout comme si le familier nous était inconnu, alors qu'on est en même temps profondément engagé dans l'urgence du quotidien.

Laila Shawa vit à Gaza et à Londres ; et même si elle habite le plus souvent à Londres, c'est à Gaza qu'elle est vraiment chez elle. L'une des conséquences de la vie en exil est la séparation d'avec sa communauté, et Laila Shawa prend acte de cette coupure qui fait que ses œuvres d'art ne sont pas connues des populations de Gaza.

L'une des particularités de la Palestine les plus difficiles à faire comprendre est la manière dont on perçoit la dimension physique de l'espace. La série *Les Murs de Gaza* exprime l'intimité du lieu et la transformation de l'environnement construit, qui à cette époque changeait quotidiennement. Les murs sont devenus la surface sur laquelle les directives étaient annoncées. Ils comportaient des indications sur la façon dont chacun devait organiser son temps et participer à la lutte politique journalière, parce que pendant l'Intifada le temps normal était suspendu, et chaque journée était structurée autour des grèves, des commémorations et des confrontations.

Un document sur les murs, c'est un témoignage sur les tentatives des Palestiniens pour réaffirmer leur identité. Les fragments de graffiti préservent le dialogue entre différentes factions politiques. Il faut également se rendre compte que, en dehors du cadre de la toile, mais omniprésent dans le champ de vision des Palestiniens, il y a la Force de défense israélienne, chargée d'effacer les graffiti dès qu'ils apparaissaient sur les murs. Les Palestiniens de la bande de Gaza n'auraient donc pas eu le loisir de s'attarder devant les graffiti, car ils étaient soumis à des couvre-feu prolongés ; c'est un privilège que leur offre la photographie. Dans les toiles de Shawa, les mots sont cependant brisés, suspendus au milieu de l'air, figés par l'obturateur de l'appareil-photo. Bien que les pièces soient de dimensions monumentales, elles restent une série de fragments d'instants politiques, contredisant ainsi l'idée selon laquelle la photographie serait capable d'englober toute l'image de la réalité sociale.

Les graffiti sont une forme d'expression adoptée par ceux qui n'ont pas accès aux modes institutionnalisés de la communication de masse. Pour les Palestiniens dont on a renié l'identité nationale et le territoire, le graffiti devient ainsi l'une des principales formes d'expression, avec les récits oraux, les tracts et les chansons, toutes formes qui contribuèrent de manière significative à organiser et à inspirer les communautés pendant l'Intifada. Beaucoup ne connaissent les Palestiniens qu'à travers les médias. Placer les toiles dans l'espace des galeries d'art européennes, c'est une façon de mettre le mode d'expression des marginaux au centre de l'« Occident ». Avec la série des *Murs de Gaza*, nous sommes confrontés aux textures et aux surfaces détaillées des murs, qui emplissent le cadre du tableau. Les filtres de couleur, explique Shawa, sont une façon d'organiser ce chaos qui est la réalité vécue des Palestiniens.

Les enfants apparaissent dans la dernière partie de la série et sont le thème central des *Enfants de guerre, enfants de paix* de Shawa. Il est difficile, pour tout artiste qui veut éviter le piège de la sentimentalité, d'utiliser des enfants en travaillant autour du thème des conflits politiques. Shawa réussit toutefois à surmonter cette problématique par le recours à la répétition. Dans *Cibles*, c'est le même jeune garçon qui est au centre de la mire du fusil. Ce procédé sert à souligner l'aspect déshumanisant de la violence, en particulier la manière dont les Palestiniens sont réduits à l'état d'«autre», anonyme et menaçant. Shawa présente une autre image que l'adolescent masqué lanceur de pierres des médias ; nous avons ici un enfant qui est encore plus jeune, sans défense, comme l'est le reste de la population face à la machine de guerre sophistiquée des Israéliens.

Tout au long de la série de toiles et de lithographies, Shawa utilise des symboles de la culture traditionnelle américaine, tels le sigle du dollar, le logo de Coca-Cola ou la bannière étoilée. Ces signes sont une façon de dire implicitement la place des États-Unis dans le conflit. Un détail souligne la manière dont les deux parties en conflit en prennent acte : les graffiti palestiniens du mur photographié dans *Les Sponsors* ont été recouverts de sigles du dollar, de plus de trois mètres de haut, exécutés en goudron destiné à l'origine aux routes de Gaza, dont beaucoup restent aujourd'hui encore des pistes de terre.

Enfants de guerre, enfants de paix sont parmi les créations les plus récentes de Shawa. Les différences sont minimes entre les toiles de guerre et les toiles de paix de cette série. L'enfant qui occupe le «panneau de paix» n'a pas posé son arme, mais simplement changé sa position, montrant que le mot «paix» masque simplement une continuation et une perpétuation de l'ancien ordre de la guerre. Il invite également à songer à l'effet que la violence a eu sur la jeune génération, qui n'a pas connu d'autre réalité que l'Intifada. L'enfant de l'image a appris le langage de la violence et serre son arme ; mais par un détail – il porte une chaussure défaite et a l'autre pied nu – il paraît maladroit, incapable de se protéger, car dès son premier pas il ne pourra éviter de tomber. Ce petit détail rappelle la vulnérabilité de l'enfant et le processus de développement nécessaire pour parvenir à l'âge adulte. La société palestinienne doit maintenant faire face aux problèmes d'enfants qui ont manqué des années d'école et qui ont des troubles d'apprentissage pour avoir vécu dans un constant état d'urgence.

Lorsqu'on voit maintenant ces œuvres dans une galerie, l'Intifada semble pour beaucoup se situer dans un passé lointain. Pourtant, si on demande à n'importe qui parmi les spectateurs ce qui s'est passé depuis lors et jusqu'à maintenant, il évoquera certainement le souvenir d'affrontements violents entre Israéliens et Palestiniens. En voyant des œuvres sur le thème de l'Intifada, on est amené à se demander à quoi a abouti le soulèvement et ce qu'il signifiait pour la population. Ce qui met en évidence notre relation avec l'art, en particulier la manière dont nous relisons une œuvre à la lumière de circonstances historiques changeantes ou de connaissances et expériences personnelles que nous leur apportons. Voir ces thèmes aujourd'hui est donc une rencontre différente de ce qu'elle aurait été au début des années 1990, lorsque l'Intifada était encore en cours. Elle nous rappelle également qu'en regardant l'art palestinien, il faut connaître le contexte politique dans lequel se sont formées les identités palestiniennes.

Tina Sherwell

Suha Shoman

Née à Jérusalem en 1944.
Après des études de droit et de criminologie faites
à Beyrouth à la fin des années soixante, Suha
Shoman s'installe en Jordanie en 1973, et rejoint,
quatre ans plus tard, l'Institut royal des beaux-arts
Fahrelnissa Zeid à Amman. En 1983, elle obtient
le premier prix de peinture et de sculpture
Ida Wingerter, à Strasbourg.
Suha Shoman vit et travaille en Jordanie.

Principales expositions personnelles

1984	*Galaxies d'Orient*, Galerie Wally Findlay, Paris
1986	*Formations by the Sea*, Musée national, Amman
1988	*The Legend of Petra*, Centre culturel royal, Amman
1993	*The Legend of Petra II*, Musée national, Amman
1995	*Petra III*, Centre culturel français, Amman *Sable et Pierre*, Atelier Art Public, Paris

Principales expositions collectives

1981	*Fahrelnissa Zeid et les peintres de son institut*, Palais de la culture, Amman Semaine culturelle jordanienne, Moscou
1983	Exposition d'Artistes jordaniens, Centre culturel royal, Amman *La Femme et la Créativité*, Amman
1981/87	Salon d'Automne, Paris
1989	*Contemporary Art from the Islamic World*, Barbican Centre, Londres *Neuf Femmes, en Blanc et Noir*, Galerie P. Morda, Paris
1991	*Contemporary Art from Jordan*, Mc Intosh Gallery, Ontario (Canada) *South of the World*, Galleria civica d'Arte contemporanea, Marsala (Sicile)
1992	Exposition d'Artistes jordaniens, Centre culturel espagnol, Amman
1993	6e Biennale d'Art asiatique, Dhaka (Bangladesh)
1994	*Forces of Change : Artists from the Arab World*, National Museum of Women in the Arts, Washington D.C. Chicago Cultural Center, Chicago (Illinois)
1995	Wolfson Galleries, Miami Dade Community College, Miami (Floride) Nexus Contemporary Art Center, Atlanta (Georgie) Bedford Gallery, Walnut Creek (Californie) Huitième Biennale d'Art asiatique, Dhaka (Bangladesh)

Noir de pierres, 1986-96
Installation et toile
290 x 175 cm

Suha Shoman

85

Suha Shoman :
à la recherche du murmure des rochers

Je crois que l'artiste qui passe des années de sa vie à réaliser une œuvre d'art pour la présenter au public est en droit de s'attendre à ce que le public la comprenne en profondeur. Mon expérience m'a permis de constater que les artistes peuvent être classés en quatre catégories : ceux qui portent un regard scrutateur sur ce qu'ils voient et nous donnent une image claire et détaillée de leur impression ; ceux qui, tout en portant le même regard scrutateur sur ce qu'ils voient, nous livrent leur impression afin que nous les partagions avec eux. La troisième catégorie est formée d'artistes qui nous révèlent leur réaction spirituelle et émotive devant ce qu'ils observent. Quant à la dernière catégorie, elle est formée de ceux qui vont plus loin que les autres et nous livrent une expérience plus globale réunissant à la fois ce qu'ils ont éprouvé visuellement, spirituellement et émotivement.

Ainsi tout ce que l'œil observe, ce que touche la main et que perçoivent les sens devient partie intégrante de la mémoire vivante de l'artiste et de sa vie future. Tout cela fait vibrer l'âme de l'artiste et s'exprime par diverses manifestations conscientes : inquiétude, passion, tristesse, colère, joie, etc. Ces sentiments peuvent enfin se manifester sous forme d'images que l'artiste ne peut contrôler même s'il prétend le contraire. Le propre de l'artiste est de s'abandonner à ce bouillonnement intérieur si intense qu'aucune autre expérience visuelle ou spirituelle ne peut égaler. À mon avis, l'artiste qui réussit le mélange entre les expériences passées et ce qui s'agite en lui, fait partie des artistes fort doués et je pense que Suha Shoman appartient à cette catégorie. Elle a peint des dizaines de tableaux dont les thèmes se chevauchent et se complètent, ce qui n'est guère étonnant mais demeure néanmoins extraordinaire. Quant à moi, j'ai vu de nombreuses expositions tout au long de ma vie mais j'ai été fort impressionné quand j'ai passé en revue ses tableaux car les éclats de ces explosions intérieures fusent dans tous les

sens reflétant ainsi les différentes impulsions de l'esprit. Chacun de ces tableaux est le fruit d'un des multiples éclats successifs que libère l'explosion intérieure et qui nous parviennent chargés d'intensité et de symboles dont l'origine s'estompe provisoirement mais ne s'éteint jamais.

Il n'est pas étonnant que l'artiste Suha Shoman ait consacré des années de sa vie à répondre à l'attrait des symboles qui ne cessent de bouillonner dans son esprit. J'essaierai dans cet exposé de clarifier l'origine de ces symboles.

J'ai toujours eu un critère pour juger une œuvre d'art : c'est celui de l'intensité et de la nature du plaisir que je ressens à la regarder. Je dois avouer ici que Suha Shoman, par l'ensemble de son œuvre, nous fait revivre une expérience fondamentale du plaisir que l'art nous fait ressentir : il s'agit de l'expérience du temps qui s'enchevêtre avec les impressions de la vie dont les hauts et les bas sont conditionnés par les phénomènes naturels, source d'inspiration des tableaux de l'artiste dont le thème principal est Pétra. Le sens du symbole découle chez elle de l'expérience vécue concrètement, qui se répète et se renouvelle et dont les stimulations permettent à l'artiste d'évoquer avec force l'expérience du temps. Tout ce qui nous fait remonter dans le temps et nous rappelle l'expérience du temps dans toute sa profondeur est un chef-d'œuvre en soi.

L'expérience des roches évoquée et représentée avec intensité, force et plaisir dans ces tableaux n'est autre que notre ultime expérience, c'est ce qu'il y a de plus intense et de meilleur dans notre existence réelle. Il faut dire que les tableaux de la légende de Pétra sont exceptionnels, troublants et impressionnants à la fois. Ils nous aident à apaiser nos craintes, nos inquiétudes et nos peurs en faisant ressortir la beauté et la splendeur de ces sensations. Ces tableaux sont l'illustration sublime des roches : l'artiste s'identifie merveilleusement aux roches mais cette identification n'est point étrangère aux artistes arabes en général et jordaniens en particulier.

Tout Jordanien, tout Palestinien et tout Arabe en général a tendance à se répéter : « J'ai passé mes années sur les roches, je suis même née d'une roche, c'est dans la roche que j'ai creusé ma caverne, mes rêves ont trouvé refuge dans la roche de la caverne et c'est de la roche que l'eau de ma vie a jailli. Pourtant un jour, quand j'ai dû abandonner la roche pour partir au loin, je l'ai emportée dans mes veines. Partout où je suis allée, la roche était pour moi ma citadelle, mon ombre, ma manne quotidienne et la source de mes forces. Quand un jour je me suis soulevée, la roche était mon avion de combat contre les attaques et ma bombe ».

Ce qui m'a également frappé en regardant les roches dans les tableaux de Suha Shoman, c'est le symbole. Nous autres Arabes, nous avons tant évoqué le désert qu'il est devenu le symbole avec lequel on nous identifie. Nous avons même oublié qu'il existe un autre symbole aussi représentatif que le desert et qui n'est autre que la roche. À mon avis, pour les Arabes la roche est un symbole beaucoup plus important que le désert car c'est des roches que sont nées les civilisations. Les Arabes nabatéens nous ont légué ce grand symbole qui illustre la maturité des civilisations arabes successives et se caractérise par la solidité et la pérennité. […]

Les roches que Suha Shoman a vues et connues à Pétra – et là il serait peut-être utile de rappeler que le mot Pétra vient du latin et signifie roche – l'ont inspirée et à travers ses tableaux, elle nous inspire à son tour l'idée que nous sommes nés de la matrice de la roche. En observant la reproduction des roches dans ses tableaux, nous avons l'impression de retourner à notre matrice pour retrouver la vie et la faire renouveler. Ce sentiment du retour explique pourquoi les Arabes se sont aperçus comme nul autre peuple de la synchronisation de la vie et de la mort. C'est ainsi qu'ils ont fait construire leurs tombes à l'intérieur de leurs maisons et quand ils ont sculpté leurs maisons et leurs tombes de manière identique c'était pour démontrer que la vie et la mort étaient parfaitement synchrones. […]

Nous sommes donc devant une série de roches où chaque tableau forme une unité indépendante tout en faisant partie d'un ensemble interminable. Il ne nous suffit pas de considérer les roches comme des éléments étrangers à nous-mêmes, car des êtres humains de différents milieux ont vécu dans les roches,

sur les roches et à travers les roches : des rois, des artistes, des chasseurs, autrement dit des contemporains de la civilisation hellénique qui y ont participé et ont préparé une base solide pour les civilisations postérieures. C'est ce que Suha Shoman a essayé de suggérer par ses tableaux.

[…] Pétra est devenue légendaire en raison de sa beauté esthétique et de la beauté de ses lettres et ses arts. De ce fait, la substance de la pensée et de l'art nabatéens est restée latente et cachée. À mon avis, il faut recouvrer cette légende qui est la source de force permanente pour la pensée et la littérature. La légende de Pétra est la force intellectuelle et créative latente dans les roches. Elle ne cesse de lancer des défis à tous nos actes afin de nous laisser croire que nous continuons à vivre la légende et que nous devons en être la prolongation. Elle se transforme en fin de compte pour devenir elle-même notre réalité en donnant un sens à nos motivations et à notre survie. De ce fait, Pétra demeure l'illustre symbole de cette légende qui donne de la substance à nos motivations et nous garantit la survie au milieu du tourbillon intellectuel et émotif qui nous incite à une plus grande participation à la créativité sociale. C'est pourquoi j'estime que les œuvres de Suha Shoman nous tirent des profondeurs des temps archaïques pour nous faire vivre plus intensément une époque légendaire et créative.

Certains ne manqueront pas de se poser la question de savoir pourquoi l'artiste Suha Shoman a peint Pétra et pas Jérusalem, sa ville natale. Personnellement, je pense qu'en glorifiant les roches de Pétra, elle a glorifié en fait le rocher de Jérusalem, le plus prestigieux et le plus beau chef-d'œuvre de l'esprit arabe. En glorifiant les roches, Suha Shoman glorifie donc Jérusalem et la Palestine tout entière.

Jabra Ibrahim Jabra

Nasser Soumi

Né en Palestine en 1948.

Il est licencié en Arts plastiques, section gravure, à l'École des beaux-arts de Damas en 1977. Il arrive à Paris en 1980 et s'installe à la Cité internationale des Arts. Pendant deux ans, il suit différents stages de lithographie à l'École des beaux-arts.

Nasser Soumi a réalisé des décors de théatre, des illustrations et des couvertures de livres ainsi que des affiches. Il est également l'auteur de plusieurs articles et études traitant des arts plastiques dans la presse arabe.

Nasser Soumi vit et travaille à Paris.

Ses œuvres sont conservées à Damas, Bagdad et Paris (Bibliothèque nationale de France et Fonds national d'Art contemporain), ainsi qu'à la Fondation Shoman à Amman.

Principales expositions personnelles

1979	Institut Goethe, Beyrouth
1982	Cité internationale des Arts, Paris
1983	V.V.F. Dourdan (France)
1984	Galerie Le Point nommé, Paris
1986	Galerie Zacheta, Varsovie
1989	Galerie Maison Mansart, Paris
	Galerie Lélia Mordoch, Paris
	Galerie Sonia / K, Lille (France)
	Centre culturel, Sétif (Algérie)
1990	Galerie « A.R », Brest (France)
	Galerie de la Maison des associations, Marseille (France)
1991	*Traces d'Avignon*, Place du Palais des Papes, Avignon (France)
	Galerie Belad- Asham, Alep (Syrie)
1993	Galerie Lélia Mordoch, Paris
	Galerie Anadiel, Jérusalem
	Fondation Danièle Mitterrand, Lille (France)
1994	Al-Wasiti Art Centre, Jérusalem, puis itinérante en Palestine
1995	Hotel des Cordeliers, Toulouse (France)
1996	Darat Al-Funun, Amman

Principales expositions collectives

1973 / 78	La Salle du Peuple, Damas
1973	Centre culturel arabe, Damas
1976	Exposition itinérante dans plusieures villes italiennes avec le groupe « Peintres arabes de Paris »
1978	Premier Moussem culturel d'Asilah (Maroc)
	Exposition internationale *Tiers Monde et Japon*, musée de Tokyo
	Exposition internationale pour la Palestine, Beyrouth
1979	Université Américaine, Beyrouth
	Université Arabe, Beyrouth
	Musée des beaux-arts, Lisbonne
	6e Biennale arabe, Koweit (obtention du prix du mérite)
	Musée national, Madrid
1980 / 82	École des beaux-arts, Paris
1980	*Intergrafik*, Berlin (Prix « Intergrafik », donné collectivement aux graveurs palestiniens)
	Musée d'Art national, Moscou
	Ausstellungszentrum Fernsehturm, Berlin
	Musée d'Art moderne, Varsovie
	Organisation des Nations unies, Genève
	Musée des Arts appliqués, Belgrade
	Maison de la culture, Eisleben (Allemagne)
	Musée de la céramique, Saragosse (Espagne)
	Centre culturel, Bytom (Pologne)
1981	Kunsternes Hus, Oslo
1981 / 82	Université Arabe, Beyrouth
1982 / 85	« Le Trait », Paris
	Ateliers collectifs de gravure et de lithographie du « Petit Format International », Taller Galeria Fort, Cadaques (Espagne)
1982 / 86	Association des anciens résidents de la Cité internationale des Arts, Paris
1982	Manifestation culturelle « Le Moyen-Orient à Paris », Forum des Halles, Paris
	13e Salon des Arts, Cholet (France)
	33e Salon de la Jeune Peinture-Jeune Expression, Grand Palais, Paris
1983	2e Biennale des Arts graphiques bulgares, Varna (Bulgarie)
	Friends House, Londres
1984	*Intergrafik*, Berlin
	Cultural House, Stockholm
	1e Exposition de Peinture arabe moderne, musée d'Art moderne, Tunis
1985	9e Biennale arabe, Koweit
	Centre culturel de Cherbourg (France)
1986	Salon « Comparaisons », Grand Palais, Paris
	Salon du Caire, Le Caire (obtention du deuxième Prix)
1987	*Intergrafik*, Berlin
1988	Chelsea Old Town Hall, Londres
	Institut du monde arabe, « Peintres méditerranéens contemporains », Paris
1989	*Ars Electronica*, Vienne (Autriche)
1990	Galerie Lélia Mordoch, Paris
	Moussem culturel d'Asilah (Maroc)
	Beffroi, Douai (France)
1991	*Art Jonction* (Galerie Mordoch), Nice, (France)
	Galerie « A.R », Brest (France)
1992	Linéart, Galerie Lélia Mordoch, Gand (Belgique)
1993	*Livre de la Paix*, UNESCO, Paris
1994	Masten für Oasen, Brême (Allemagne)

Hommage à Jafa, 1996
Assemblage sur bois
35 x 53,2 x 12 cm

Nasser Soumi

91

Nablous, Jabal El Nar
(Naplouse, montagne de fer), 1996-97
(détail)
Savon, huile d'olive
380 x 380 cm

Nasser Soumi   93

Nasser Soumi :
« un cœur qui bat ! qui bat ! qui bat ! »

« Ma mémoire est ma patrie », disait Sarkis au début des années quatre-vingt. Cet Arménien marié à une Turque, ayant vécu toute son adolescence à Istanbul puis la plus grande partie de son existence d'artiste à Paris, où il vit désormais, exposant aujourd'hui dans le monde entier, sait de quoi il parle. Il a utilisé deux mots qui traduisent bien un état d'esprit : *Blackout* et *Kriegsschatz*, deux termes de guerre, l'un américain, l'autre allemand pour dire le souci de préserver un territoire et pour imposer sa vision. L'espace de l'artiste, toujours, est à conquérir ; mais son terreau est d'une autre nature, fait de mémoire, d'imaginaire mêlé, avec quoi il se déplace.

Sensations d'une troublante actualité, où les odeurs, les souvenirs tactiles étonnent par des surgissements précis, des flashes presque trops clairs. Sentiments un peu arrangés parfois qui se nourrissent de ce qu'on a entendu dire et qu'on croit avoir vécu. Et puis tout ce qui s'est incorporé, qu'on ne sait pas, qu'on ne sait plus, tout l'invisible… L'art contemporain palestinien s'est élaboré en partie dans l'exil et le déplacement. Il porte en lui la mémoire et le vécu de ce peuple, disent les organisateurs du « Printemps palestinien ». Oui. Mais une grande partie de l'art contemporain, de la modernité est né de l'exil, d'exils de toutes sortes. Exil de la langue pour Kafka, juif tchèque qui écrit toute son œuvre en langue allemande, pour le Polonais Conrad qui devient un des plus grands écrivains de langue anglaise, pour Nabokov, russe chassé par la révolution d'Octobre qui écrit alors une partie de son œuvre en allemand puis en anglais, aux États-Unis. Exil physique pour Picasso qui peint la plus grande partie de son œuvre en France, comme Chagall, comme Brancusi, comme Giacometti, comme tant d'autres, comme Fritz Lang qui ayant fui le nazisme, devient cinéaste américain comme tant de musiciens, d'interprètes allemands, autrichiens. Exils politiques. Exils liés aux intolérances religieuses. Exils de la pauvreté et de la faim. Exil du refus dont le plus exemplaire reste celui de Thomas Mann.

Est-il si étonnant que tous les exilés se retrouvent dans la nourriture, dans les repas de fêtes où le souvenir se mue, presque toujours, en plaisir. Dans le calcul aussi. On parle la langue du pays d'adoption plus ou moins bien mais on compte dans celle du pays de son enfance.

L'enfance.

L'enfance du souvenir, l'enfance formatrice, l'enfance des verts paradis, j'en ai parlé avec Nasser Soumi assez naturellement lorsqu'il s'est agi de descendre le plus loin possible dans les tenants et les aboutissants de l'œuvre exposée.

Il est né en 1948, au sortir de la Seconde Guerre mondiale, en Palestine. Il a vécu jusqu'à l'âge de sept ans en Cisjordanie puis en Jordanie, à Irbid, où sa famille s'était « déplacée ». Il reste là jusqu'à l'âge de dix-huit ans. Il poursuit ses études à Damas, en Syrie, jusqu'en 1977. Après un séjour de trois ans au Liban, il vient s'installer en 1980 en France.

Je ne prétends pas dresser une biographie minimum un peu sèche d'un artiste palestinien exemplaire. Nous savons depuis toujours, mais depuis Malraux un peu plus précisément, que la biographie de l'artiste c'est la biographie de son œuvre.

Certes. Mais de quoi est faite l'œuvre ? D'où vient-elle ? De quel dépôt d'expérience, de plaisir, de regrets ? Sait-on ce que peut déterminer en nous l'odeur d'une colchique respirée dans un pré, la douceur du ventre d'un oiseau capturé dans son nid, les petites férocités de l'enfance avec les insectes, un chien, un âne et ses élans généreux, limpides.

Avec un certain lyrisme Nasser Soumi m'a dit à quel point il avait été impressionné par les montagnes de la région où il est né, avec ses champs d'oliviers et ses fleurs innombrables. « Le printemps en Palestine, s'exclame-t-il, ça explose ! C'est merveilleux ! J'ai gardé pour toujours la vision de cette terre rouge et de ce vert des plantes ».

Situé dans le Nord de la Palestine, sur une terre fertile, le village où il est né produisait de l'huile. « Je me souviens parfaitement du moment où les paysans apportaient les olives, les jetaient dans le pressoir. On apportait le pain chaud. On le trempait dans l'huile. On mettait un peu de sel par-dessus. C'était délicieux ! J'ai encore le goût dans la bouche ! » Une partie de cette huile était utilisée pour la consommation courante, une autre pour fabriquer le savon. Ce savon qu'on voit dans l'exposition.

On faisait venir quelqu'un qui connaissait les dosages. On mettait de l'huile dans un container et on la faisait chauffer avec un peu de soude. Après on installait sur le sol des tasseaux de bois et on coulait la pâte qui épaississait. Alors on la coupait en cubes. C'était, un peu, une cérémonie. Elle a profondément marqué Nasser Soumi. Ainsi, lorsqu'en 1993 il est revenu en Palestine, il n'a pas manqué d'aller visiter Naplouse où l'on produit un savon réputé dans tout le Proche et le Moyen-Orient. C'est là que l'idée de l'utiliser pour une œuvre a germé…

Depuis longtemps Nasser Soumi travaille en relation avec le lieu. Je me souviens de ses premiers travaux à base de bois rejeté par la mer, de galets ramassés sur la plage, enveloppés d'un maillage serré de ficelles, d'écorces d'orange déployées sur des planches de bois peintes, et surtout de l'indigo qui donnait une belle intensité lumineuse et profonde à tout cela.

« La Palestine avant mon voyage en 1993 était un pays de rêve que je voyais à travers les souvenirs émerveillés de mon enfance, soupire Nasser Soumi, une sorte d'Utopie. Lorsque j'y suis allé j'ai trouvé un pays éclaté, j'ai vu des colonies. Ce n'était pas un corps homogène. J'ai essayé de ramasser des traces et de l'impliquer dans mon travail. »

Alors ce travail, en quoi consiste-t-il ?

Très simplement, il s'agit d'installer un plan incliné avec, en son centre, un cube évidé d'assez grande dimension qui le traverse. Le visiteur qui, dans la position normale, ne voit que l'extérieur du cube, est invité à monter sur le plan incliné, à regarder à l'intérieur. À l'intérieur sont des savons que l'artiste a creusé, où il a mis de l'huile d'olive, une mèche qu'il a allumé. En se penchant le visiteur découvre cette lumière, cette « âme des choses » comme dit Nasser Soumi et l'odeur de l'huile et du savon.

La vérité sort du puits, dit-on. Verrons-nous dans cette œuvre une allégorie ? L'œuvre d'art, toujours, va au-delà du sens trop univoque de cette figure de style ; mais on peut y voir une image proche de celle des *Visiteurs du soir* avec ce couple d'amants statufiés mais toujours vivants et qui défient, au-delà de la mort, le diable furieux, impuissant, qui les flagelle en criant : « Ce cœur qui bat ! Qui bat ! Qui bat ». Tout le public français avait compris que l'occupant allemand était visé et ne pouvait pas empêcher l'âme du peuple français de battre malgré tout.

La petite flamme de Nasser Soumi, « ce cœur qui bat ! Qui bat ! Qui bat ! ».

Michel Nuridsany